ESCUELA de PADRES

de niños de 6 a 12 años

Educar con talento

Si desea recibir información gratuita sobre nuestras publicaciones, puede suscribirse en nuestra página web:

www.amateditorial.com

también, si lo prefiere, vía email:

info@amateditorial.com

Síganos en:

@amateditorial

Editorial Amat

Óscar González

ESCUELA de PADRES

de niños de 6 a 12 años

Educar con talento

Amat Editorial es un sello editorial de Profit Editorial I., S.L.
Travessera de Gràcia, 18; 6º 2ª; Barcelona-08021

Diseño de cubierta: XicArt
Maquetación: JesMart
ISBN: 978-84-9735-854-5
Depósito legal: B-12.904-2016
Primera edición: septiembre, 2016

Impresión: Liberdúplex

Impreso en España / *Printed in Spain*

A mi mujer Beatriz, imprescindible e inmejorable madre
y a nuestros hijos, Mateo y Elsa por ayudarnos a crecer cada día.

A ti lector, por dedicar tu tiempo a disfrutar
educando con mucho sentido común.

«El mejor medio para hacer buenos a los niños es hacerlos felices»

OSCAR WILDE

Educar

Educar es lo mismo
que poner motor a una barca...
hay que medir, pesar, equilibrar...
... y poner todo en marcha.

Para eso,
uno tiene que llevar en el alma
un poco de marino...
un poco de pirata...
un poco de poeta...
y un kilo y medio de paciencia
concentrada.

Pero es consolador soñar
mientras uno trabaja,
que ese barco, ese niño
irá muy lejos por el agua.
Soñar que ese navío
llevará nuestra carga de palabras
hacia puertos distantes,
hacia islas lejanas.
Soñar que cuando un día
esté durmiendo nuestra propia barca,
en barcos nuevos seguirá
nuestra bandera
enarbolada.

GABRIEL CELAYA

NOTA EXPLICATIVA DEL AUTOR

Comprobarás que, a lo largo de este libro, no hablo de «niños y niñas» ni de «hijos e hijas», sino de «niños» e «hijos» de manera genérica. Utilizaré la forma masculina por defecto, alternándola de manera ocasional con usos específicos de género o número distintos. También hago uso del universal «padres» para referirme a «madres» y «padres». Quiero aclarar que no se trata de un uso sexista del lenguaje, sino de una manera de facilitar al máximo la lectura, simplificando los diálogos y las explicaciones que contiene el libro. Si se plantease una distinción por sexo en algún tipo de comportamiento quedará convenientemente explicado y reseñado. Muchas gracias de antemano por tu comprensión.

Índice

Prólogo

La educación es una tarea apasionante y también personal e intransferible. Educamos desde la familia y para la familia. La familia es el primer círculo social en el que el niño desarrollará su autoestima o sus complejos, sus capacidades cognitivas y motoras, su socialización o su aislamiento, su curiosidad o su apatía, su laboriosidad o su pereza. Todo va a depender del entorno, de cómo le sean ofrecidos los estímulos, de cómo reaccionemos ante sus errores y sus aciertos, de cómo convivamos con él.

Hace tiempo leí un artículo periodístico en el que se nos advertía de que poco o nada se escribía acerca de esta etapa de la segunda infancia, etapa que va de los seis a los doce años. Es una etapa que pasa desapercibida: el niño se levanta, se viste, se asea, desayuna y va a la escuela. Suele ser receptivo a las indicaciones que se le hacen y plantea pocos problemas de conducta. Son todo nuestros: viajan con nosotros, vienen a las reuniones familiares, no plantean conflictos con las entradas y salidas y se amoldan a las instrucciones con más o menos facilidad. Admiran a papá y mamá y se integran en el núcleo familiar. Sin embargo, esta etapa aparentemente tranquila es la que determinará poco a poco la personalidad del niño. Cuando se detecten los problemas en la preadolescencia ya será tarde. De ahí la enorme importancia de prestar atención a qué hacen, qué hacemos durante este periodo de preparación y crecimiento.

Es cierto que mucho se ha escrito sobre la educación en la primera infancia, en ella se asientan los cimientos del niño en todos los órdenes que afectan a su evolución. Pero no es menos cierto que la mejor crianza, si no se cuida, acaba por degenerar impidiendo que alcance el desarrollo que todos esperamos. Y vivimos rodeados de ideas socialmente aceptadas que pueden distorsionar nuestra labor como padres desde el seno de la familia. ¿A qué edad puedo o debo comprarle un teléfono móvil a mi hijo? ¿Es cierto que las nuevas tecnologías favorecen el aprendizaje? ¿Cómo actuar cuando mi hijo me trae suspensos en las calificaciones? ¿Qué hago si no quiere leer? ¿Cómo puedo prevenir el acoso escolar? ¿Cuántas horas de televisión? ¿Se puede maleducar con el deporte? ¿Sí o no a las tareas escolares? ¿Qué hacer si no me gusta el profesor de mi hijo? ¿Cómo afectan las amistades? ¿Qué debo hacer ante las rabietas? ¿Son buenos los castigos? ¿Qué castigos? ¿Y las actividades extraescolares?

Distintas corrientes y voces se alzan en uno y otro sentido. Hay quien afirma que las nuevas tecnologías son la panacea contra el fracaso escolar, hay ya plataformas contrarias a los deberes escolares porque bastantes horas pasan en el Colegio como para sobrecargarlos cuando llegan a casa, hay quien se ha hecho famoso protestando por la cantidad de deberes que «mandan» a unos padres demasiado ocupados para sentarse con el niño, incluso voces muy autorizadas de la pedagogía que los consideran un atentado contra la igualdad de oportunidades, porque no todos los padres disponen de tiempo para apoyar a sus hijos en casa. Hay quien ve en la televisión un momento de expansión lúdica inocente y hay quien no ve sentido al esfuerzo en el aula porque el nivel de exigencia es demasiado elevado y tampoco conduce a ninguna parte. Y ante esta situación, las familias se mueven en la incertidumbre de qué es lo mejor para sus hijos. En el polo opuesto, también hay quien sobrecarga a los hijos con interminables actividades extraescolares agobiados por lograr la mejor preparación para el futuro: deporte, idiomas, música, arte... Llegamos así a agendas tan apretadas que serían impensables incluso para un adulto bien preparado. Sin embargo, todas estas familias tienen un punto en común: quieren a sus hijos.

Conocí a Óscar González cuando presentó en Madrid su Escuela de Padres con Talento. Acababa yo de publicar entonces un libro sobre educación desde la soledad del escritor. Trataba de poner negro sobre blanco aquellos aspectos que me parecían esenciales en la crianza infantil ya desde el embarazo. «¿A qué edad debe una empezar a educar a su hijo?», dicen que le preguntaron a Sigmund Freud; «¿Qué edad tiene su hijo?», preguntó el famoso psiquiatra; «Cinco años», respondió la señora; «Entonces lleva usted cinco años de retraso», repuso tranquilamente. Lo interesante es que aquella publicación me puso en contacto con otros autores, con corrientes educativas, con profesionales que, como yo, creíamos que otra educación era necesaria y urgente desde una nueva perspectiva integral. Si algo me aportó este ensayo fue la amistad de muy buenos profesionales que me hicieron sentir parte de un movimiento emergente, fuerte, ágil e imprescindible. Y este es el caso del autor con quien desde entonces me une una firme amistad forjada en objetivos compartidos. Frente a una educación centrada en el utilitarismo academicista, en la memorización y en los resultados de unos boletines de notas, abogamos por la necesidad de «educar a las personas desde la felicidad para que logren ser seres felices en el futuro». «Si a mí me dieran a elegir qué clase de hijo quiero en el futuro, respondería que fuera feliz, ¿y ustedes?». Otra cosa es cómo podemos conseguirlo y qué es la felicidad.

El interés de la obra que tienen entre sus manos es la perspectiva aportada por el propio autor. Óscar es un soldado de infantería. Un «maestro» en todo el sentido de la palabra, de esos que aman su profesión y tratan de reinventarse continuamente para ofrecer lo mejor de sí mismos a cada uno de esos alumnos cuya educación asume como una responsabilidad propia. Pero cuando esto sucede, lo sé por experiencia, los años van dándonos un baño de humildad. Nos hacemos conscientes de que este partido lo jugamos en equipo y que poco o nada logramos sin el apoyo, la connivencia y la complicidad de las familias. Solo jugando en equipo, con ideas claras, logramos avanzar ofreciéndoles una realidad coherente, un futuro que merezca la pena para generar ilusiones, fomentar su curiosidad y favorecer su aprendizaje como seres humanos. Y todo ello desde la esperanza.

De ahí la necesidad de esa Escuela de Padres con Talento, de ahí la necesidad de revisar las reglas de juego y ofrecer a las familias pautas que favorezcan un crecimiento armónico y feliz. Y ahí estamos comprometidos desde hace ya algunos años. No se trata de decirle a unos padres cómo deben educar a sus hijos, sino de hacerlos conscientes de qué prácticas y métodos favorecen y cuáles son contraproducentes en la educación. Cuando hablo de «educación preventiva» me refiero justamente a esto: «generar hábitos que favorezcan el desarrollo atendiendo a cada etapa de evolución del niño, de cada niño único e irrepetible». No se trata tanto de solucionar problemas, que también, como de evitar a través de las buenas prácticas que estos problemas aparezcan. Óscar, como yo mismo, procuramos a través de la reflexión y el análisis, familias proactivas en la educación de sus hijos, comprometidas y ocupadas mejor que preocupadas y agobiadas por las circunstancias del día a día.

Lejos de las teorías abstractas, Óscar se mueve en el ámbito de la práctica docente inmediata alimentada por horas de clase, horas de observación, horas de lecturas reflexivas llevadas al aula, horas de entrevistas que, desde estas páginas, está dispuesto a compartir con todos nosotros. El libro supone un punto de encuentro y un punto de reflexión necesario e imprescindible para todos aquellos que estamos comprometidos con una labor tan apasionante como «educar» a esta nueva generación.

JOSÉ CARLOS ARANDA

Autor de *Inteligencia natural.*

Presentación

Si buscas resultados distintos no hagas siempre lo mismo.

ABERT EINSTEIN

Todos los padres queremos educar a nuestros hijos de la mejor manera posible. Esto es una realidad. Pero en la actualidad, muchos nos estamos encontrando con serias dificultades para conseguirlo. Nunca hasta ahora habíamos tenido acceso a tantísima información sobre cómo educar a nuestros hijos ni se habían escrito tantos libros sobre educación y *parenting* como hoy. Tampoco habíamos tenido acceso tan fácil a profesionales a los que poder consultar nuestros problemas educativos diarios como los que tenemos hoy en día. Esto debería facilitarnos criar y educar a nuestros hijos, pero la realidad nos muestra lo contrario: nunca ha resultado tan difícil educarlos como ahora. ¿Qué está ocurriendo?

Los padres de hoy, en términos generales, nos encontramos realmente agobiados, perdidos y desorientados. Afrontamos nuestra tarea educativa cargados de miedos, dudas e inseguridades preguntándonos constantemente si lo estaremos haciendo bien. Otros, desbordados, afirman directamente no saber qué hacer con sus hijos porque, como se suele decir, no vienen con manual de instrucciones. La sociedad actual tampoco nos facilita las cosas: excesivas obligaciones, dificultades para conciliar familia y trabajo, un ritmo de vida acelerado y un largo etcétera. Vivimos en una sociedad en la que los cambios son tan rápidos que nos impiden educar con calma y serenidad. Y es urgente y necesario cambiar esta dinámica si queremos vivir y disfrutar al máximo de esta experiencia única.

El siglo XXI *es la época en que la velocidad del cambio ha superado nuestra capacidad para controlarlo.*

RICHARD GERVER

El objetivo de la Colección Escuela de Padres es ayudarte a educar bien, con sentido común y criterio. No se trata de un manual de instrucciones sino de una completa guía que te servirá como hoja de ruta desde el nacimiento de tu hijo hasta su adolescencia. Considera estos libros como unos compañeros de viaje en esta tarea, que no es tan difícil como parece, y a los que podrás acudir cuando lo consideres necesario. Esta colección contiene la información fundamental que te facilitará ejercer tu tarea educadora y conseguirá que las relaciones familiares sean mucho más gratificantes y enriquecedoras. Te mostraré de qué forma valorar y tener en cuenta a tus hijos para que consigan confianza y seguridad en sí mismos, y logren una autoestima sana y sólida. Aprenderás a guiarlos y orientarlos de la manera correcta, y a educar sus emociones. También aprenderás a establecer normas y límites de forma adecuada. Te facilitaré pautas de actuación que permitan resolver con éxito los problemas que te irás encontrando en cada una de las etapas educativas.

Se trata, pues, de una colección útil y práctica que huye de complicadas teorías educativas para ofrecerte consejos, pautas, técnicas y herramientas que ya han sido puestas en práctica y han mostrado que son eficaces para educar niños felices y convertirlos en adultos felices, pues cabe recordar que los niños de hoy serán los adultos del mañana. Además, todos los libros de la colección contienen actividades y ejercicios que invitan a la reflexión y a la acción.

La educación es una ciencia y también un arte, un arte que debe aprenderse. Estos libros pretenden ayudarte a conseguirlo de manera sencilla y práctica. Pero no lo olvides, al final vas a ser tú quien ponga en práctica las ideas que te ofrezco. Nadie puede educar por ti: es tu compromiso y la tarea más importante que se te ha encomendado. Comprométete a hacerlo de la mejor manera posible.

¿Nos ponemos en marcha?

¿Por qué puede ayudarte este libro?

Como ya he señalado, todos queremos educar mejor a nuestros hijos para que, de esta manera, puedan crecer felices. Con este libro vas a:

- Aprender las claves necesarias para educar a tus hijos con verdadera inteligencia, sentido común y criterio.
- Aprender los criterios necesarios para educar de manera eficaz en la etapa que abarca desde el nacimiento de tu hijo hasta los seis años.
- Lograr un ambiente familiar óptimo para el desarrollo y crecimiento integral del niño.
- Convertirte en un padre con herramientas educativas actualizadas. Es decir, convertirte en un auténtico padre del siglo XXI con capacidad para educar hoy.

En este libro te ofrezco las claves para conseguir todo esto y mucho más. Se trata de una obra de consulta sencilla que te será útil en la etapa de 6 a 12 años. Conocer lo que corresponde al niño en cada etapa te será de mucha ayuda. Mi objetivo es que cuando termines de leerlo y según lo vayas poniendo en práctica puedas afirmar que te ha sido de utilidad.

Déjame proponerte un reto antes de que empieces a leerlo: cuestiona todo lo que te proponga y acéptalo como válido únicamente si al ponerlo en práctica te resulta útil.

No crea nada. No importa dónde lo lea o quién lo diga, incluso si lo he dicho yo, a menos que concuerde con su propio juicio y su sentido común.

BUDA

¿Para quién es este libro?

Este es un libro dirigido a padres –algunos de ellos primerizos, otros con más experiencia– que buscan aprender y mejorar en su *oficio y tarea de ser padres.* También va dirigido a todos los educadores (abuelos, profesores y adultos en general). No es preciso ser un experto en educación para comprender este libro y convertirse en un auténtico padre con talento. Es un libro al que le sacarás mucho partido si:

1. **Eres padre:** tienes un hijo (por lo menos) o vas a tenerlo y quieres aprender a educarlo de la mejor manera posible disfrutando al máximo de cada una de las etapas educativas.
2. **Quieres conocer lo que acontece en la etapa educativa** por la que ahora está atravesando tu hijo y prevenir posibles problemas y dificultades con las que te irás encontrando en un futuro no muy lejano. Cada etapa nos presenta nuevos retos y desafíos para los que debemos estar preparados.

3. **Quieres consejos prácticos y útiles para mejorar en tu tarea de ser padre** recibiendo la máxima información sobre el tema. Quieres estar al día y necesitas herramientas para educar mejor desde hoy mismo.

Parto de la idea primordial de que el amor incondicional y el respeto hacia el niño son dos elementos fundamentales para favorecer su crecimiento.

Iconos utilizados en el libro

Para ayudarte a encontrar la información esencial o para destacar datos relevantes he incorporado los siguientes iconos a lo largo del libro:

CLAVE. Este icono llama tu atención hacia una información destacada o ante un problema educativo específico.

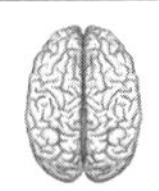

RECUERDA. Destaca aspectos esenciales que debes recordar.

EJEMPLO. Avisa de que estoy exponiendo un ejemplo práctico que muestra cómo abordan otros padres un problema concreto.

OJO. Atraeré tu atención sobre aspectos importantes que te serán de mucha ayuda.

ACTIVIDAD. Mediante este icono podrás localizar con facilidad los diferentes ejercicios (actividades prácticas y de reflexión) que te propongo para que desarrolles al máximo tu **talento educativo.**

CONSEJO DE EXPERTO. En cada apartado conversaremos con expertos (psicólogos, pediatras...), que nos ofrecerán las claves educativas sobre determinados temas y problemas específicos. Además, incluyo ideas de grandes expertos en educación que te ayudarán a reflexionar sobre tu intervención educativa con tus hijos.

1

Segunda infancia: sigue creciendo

Un niño que no se sienta querido
difícilmente puede ser educado

Johan Heinrich Pestalozzi

Llegamos a una etapa clave en el desarrollo del niño. Está avanzando en su camino hacia la autonomía y se enfrenta a grandes cambios y nuevos retos. Los padres seguimos siendo fundamentales para su educación (seguimos siendo su principal punto de referencia), pero también educa el entorno cercano: la escuela y los amigos cada vez van adquiriendo mayor importancia. Se trata de una etapa muy rica en experiencias tanto para tu hijo como para ti.

¡Al cole!

A la edad de 6 años el niño ya ha terminado la educación infantil y está en primaria. La escuela va a marcar el inicio de una nueva etapa y por ello requerirá de un proceso de adaptación: nuevo horario, tareas, compañeros... Bernabé Tierno señala:

> A los 6 años es un niño inquieto al que le gusta moverse y correr de un lado para otro, y es normal que entonces le cueste permanecer sentado o centrar su atención en algo durante mucho tiempo: poco a poco aprenderá a controlar sus impulsos y disfrutará con las actividades que le hagan reflexionar, pensar, tomar decisiones, etc.[1]

Por este motivo debes mantener la calma sin alarmarte ni agobiar al niño: es un proceso que hay que afrontar con paciencia. Debes mostrarle tu apoyo y guiarlo en unos correctos hábitos de estudio.

El colegio no solo le va a permitir adquirir conocimientos de unas determinadas áreas, sino que además le va a ayudar a aprender:

- A controlar sus impulsos (autocontrol).
- Aplazar la recompensa. Algo muy importante para su desarrollo.
- El significado de la palabra *esfuerzo*. Todo cuesta y si quieres conseguir algo te debes esforzar.
- Valorar la diversidad, ya que se relacionará con alumnos de distintas procedencias.

---

1. *La educación y la enseñanza primaria de 6 a 8 años*, Bernabé Tierno y Montserrat Giménez, Ed. Aguilar.

Lenguaje

En esta etapa el niño ha adquirido un lenguaje similar al del adulto. No solo aumentará el vocabulario sino que tendrá un mayor dominio del mismo. Esto facilitará vuestra comunicación.

Es una etapa en la que el niño te preguntará por todas aquellas palabras que no entiende, ya que disfruta mucho aprendiendo. Un aprendizaje que no se acaba nunca. Además el niño es capaz de adaptarse al contexto: no habla de la misma forma con un igual que con un adulto (con los padres, con el profesor...).

El niño hará uso del lenguaje para dos cuestiones fundamentales:

- Comunicarse con los demás.
- Regular su propia conducta (hablarse a sí mismo).

El juego (I)

En el primer libro de la colección hablé de la importancia del juego para el niño. Comparto algunas ideas aquí a modo de resumen: una manera muy efectiva de aprender es jugando. Los niños necesitan jugar. El juego es esencial para el desarrollo integral del niño e influye en su crecimiento y maduración a todos los niveles: físico, mental, emocional, social, etc. El juego les prepara para la vida. En palabras de Silvia Álava:

> Los juguetes, además de ser un medio de distracción y de entretenimiento para los niños, bien utilizados, sirven para estimularlos y favorecen muchos procesos de aprendizaje, como las destrezas motrices finas, la agilidad mental, la motricidad gruesa, la resistencia física...

Jugar es tan necesario para el desarrollo del niño que está recogido en la Declaración de los Derechos del Niño, aprobada por la ONU en 1959:

> El niño debe disfrutar plenamente de juegos y recreaciones, los cuales deben estar orientados hacia los fines perseguidos por la educación. La sociedad y las autoridades públicas se esforzarán por promover el goce de este derecho.

Recomendaciones para los padres

- Debemos sacar tiempo todos los días para jugar con el niño.
- Es importante que intervengamos los dos (padre y madre) en el juego: que no juegue siempre con el mismo.
- Nuestra tarea no es solo comprarles juguetes: debemos enseñarles a jugar.
- También debemos llevarle al parque cada día para que disfrute jugando al aire libre y aprenda a relacionarse poco a poco.
- Ofrécele un entorno rico: lugares para explorar, juguetes creativos, etc.

En palabras de Margot Sunderland:

> Si proporcionas a tu hijo muchas actividades imaginativas y exploradoras, activarás el sistema de «búsqueda» de su cerebro. Cuando opera este sistema, el niño tiene curiosidad y el impulso y la motivación necesarios para hacer realidad sus ideas creativas.

En esta etapa el juego debe ir orientado al aprendizaje de normas y reglas. Además, debemos fomentar la relación con otras personas a través del juego. Los juguetes que se adaptan mejor a esta edad (6-8 años) son:

- Construcciones con piezas pequeñas (tipo LEGO).
- Juegos de mesa.
- Juegos que facilitan el movimiento: bicicletas, patines, patinetes, etc.
- Juegos para experimentar y construir.
- Libros, DVDs, CDs.
- Juegos digitales.
- Desmontables.
- Puzles más complejos.

Colaboración de los padres con la escuela (I)

Veamos los siguientes casos:

- Una madre invita a los alumnos de la clase de cuarto de primaria de su hijo a que visiten el lugar donde trabaja junto con su profesor.
- Un profesor invita al padre de un alumno para que acuda a la clase a explicar en qué consiste su trabajo como médico en un centro de salud.
- Un grupo de padres y docentes se reúnen una vez al mes en la Asociación de Madres y Padres del centro educativo para compartir experiencias.

¿Qué tienen en común todas estas personas? Están colaborando activamente en la educación de sus hijos al formar parte de sus escuelas. No es necesario que los padres seamos «expertos en educación» para que podamos manifestar nuestras preocupaciones y compartir nuestros conocimientos con la escuela de nuestros hijos.

Pero los padres se preguntan: ¿qué puedo hacer yo para implicarme?, ¿de qué forma puedo colaborar en la escuela de mis hijos?

Me gustaría ofrecer algunas claves para ayudar a que esta implicación sea real y efectiva:

- Busca la forma de presentarte y conocer mejor a los profesores de tus hijos al inicio de curso. La primera toma de contacto es fundamental para intercambiar impresiones. Aquí podemos manifestar nuestras intenciones de «formar equipo».
- Muestra tu agradecimiento y satisfacción hacia el centro educativo y su profesorado por algo que hayan realizado. No podemos únicamente criticar y quejarnos cuando se hace algo mal en la escuela. Lo que está bien hecho también ha de reconocerse y valorarse.
- Haz llegar al centro tus ideas, sugerencias, aportaciones y preocupaciones para que las tomen en consideración. Si no recibes la respuesta esperada, sigue insistiendo. Busca otras formas y fórmulas para hacer llegar tus propuestas. Nunca pienses que eres un pesado.
- Practica de vez en cuando la empatía poniéndote en el lugar del profesor o del equipo directivo del centro: ¿de qué forma actuarías tú en su posición?
- Si tienes algún problema, háblalo directamente con la persona que corresponda. Evita los famosos «corrillos» a las puertas del colegio que tan dañinos y tóxicos son. Hay lugares y momentos concretos para resolver estos temas. Hagámoslo donde y como corresponde.

- Ofrece al profesor la posibilidad de colaborar con él ofreciendo tus conocimientos sobre un determinado tema (de tu trabajo, por ejemplo) relacionado con los contenidos que están trabajando en el aula.
- Nunca te enfrentes con el profesor de tu hijo. Busca siempre la forma de llegar a un entendimiento a través de una buena y sincera comunicación.
- Cuando hables con el profesorado sé sincero, no hagas uso de un «doble lenguaje» (delante digo una cosa pero por detrás otra bien distinta).

Estas son algunas ideas y sugerencias personales pero se podrían añadir muchísimas más. Como muy bien se destaca en el documento PISA IN FOCUS n.º 10:[2]

> Los profesores, las escuelas y los sistemas educativos deben estudiar cómo pueden ayudar a los padres que están muy ocupados a desempeñar un papel más activo en la educación de sus hijos tanto dentro como fuera de la escuela.

Queda patente que la implicación de las familias es más necesaria que nunca. Tenemos la obligación de convertir la escuela en un espacio de cooperación entre el profesorado y las familias.

Tú puedes enriquecer en gran medida la educación de tus hijos colaborando y participando activamente en la escuela.

---

2. http://www.mecd.gob.es/dctm/ievaluacion/pisa-in-focus/pif10-esp.pdf?documentId =0901e72b81328825

Actividad. Plantéate las siguientes cuestiones:

- **¿Qué estoy haciendo yo para mejorar la escuela de mis hijos?**

  Un consejo: no eches la culpa a la escuela y su entorno. Tampoco eches la culpa al profesorado. Hacerlo es hacerse la víctima y en este mundo ya hay demasiada gente que lo hace. Culpar a los demás es poner excusas.

- **¿Qué es lo que te gusta de la escuela de tus hijos?**
- **¿Qué puedes hacer para implicarte más todavía?**

  Escríbelo en una lista. Después haz algo para mejorar las cosas. Ponerlo por escrito es el primer paso pero no basta con escribirlo, es necesario pasar a la acción.

  Por tanto, cumple con tu compromiso. La escuela de tus hijos será un lugar mejor si lo haces. Acuéstate cada día pudiendo afirmar lo siguiente:

La escuela de mis hijos es la mejor porque yo colaboro con ella.

Reunión con el profesor de tu hijo

Como ya he comentado, debemos mantener un contacto estrecho y fluido con el profesor de nuestro hijo, ya que de este modo tendremos un mayor conocimiento de sus logros o carencias educativas, pero también de su comportamiento fuera del ámbito familiar.

Por este motivo es importante que asistamos a las reuniones con el profesor de nuestro hijo. Estas reuniones pueden ser de varios tipos:

a) **Reuniones grupales o colectivas** a las que asisten todos los padres del grupo-clase.

b) **Reuniones individuales** con el profesor.

Es conveniente que preparemos estas reuniones individuales meditando sobre aquellos puntos que queremos tratar con el profesor (tutor o especialista) de nuestro hijo para que la reunión sea lo más fluida y productiva posible. No podemos improvisar. Puedes anotar estas ideas en una libreta para que no se te olvide ninguno de los temas que quieres tratar (te puede servir el cuaderno que te recomendé al principio del libro) . Algunos de estos temas pueden ser:

- Su actitud en el aula.
- Su relación con los compañeros.
- Su relación con el resto del profesorado.
- Si realiza sus tareas (deberes).
- Si participa de forma activa.
- ¿Qué podemos hacer los padres para ayudar a nuestro hijo?
- ¿Qué podemos hacer los padres para colaborar con la escuela?

Además, como padre, le puedes aportar otro tipo de información:

- El tiempo que dedica a realizar las tareas en casa.
- Cómo actúa en casa y su relación con los hermanos.
- Qué pautas y estrategias empleamos para motivarlo.
- En qué invierte su tiempo libre.

Errores frecuentes

Estos son algunos de los errores que cometemos con frecuencia:

- Acudir únicamente si el profesor nos cita.
- Ir a la reunión con una actitud «a la defensiva».

Trabajemos para reducir de manera notable la brecha entre familia y escuela. Empecemos a vernos como socios y aliados en un proyecto común: educar de la mejor manera posible a nuestros hijos y alumnos.

Las alianzas son necesarias porque un niño, para crecer razonablemente bien, necesita creer que los padres no son sus enemigos, no son enemigos entre sí y tampoco lo son de esos otros adultos –los maestros– que se ocupan de ellos.
ROLANDO MARTIÑÁ

#Leído en internet

Padres drones[3]

En la granja escuela donde trabajo me entero de las cosas que pasan en las escuelas y parece que ha nacido un nuevo tipo de padres: los padres drones. Me explican de los padres que quieren decidir con quién se sienta su hijo en clase; de los que prohíben al profesor que un compañero se acerque a menos de 10 metros de su hija; de los que quieren que el maestro justifique por qué se cayó su pequeño en el patio, o los que deciden qué días deberían poner los deberes para combinarlos con sus ex-

3. «Carta de Cristina Gutiérrez», *La Vanguardia* (28/10/2015).

traescolares. Me hablan de los padres que se creen a la criatura antes que al profesor, de los que exigen que en las colonias de dos días se les lave el pelo con jabón y suavizante... Con tanto padre y madre dron, revoloteando cada minuto del día y controlando hasta el más mínimo detalle, debe resultar difícil ser niño o niña hoy en día, ¿no? Qué agobio, es como si tuvieran una cámara enfocándolos y obligándolos a hacer y ser siempre correctos. Difícil que los pequeños se equivoquen, el dron está allí para controlar que eso no suceda. Ni un momento de libertad parece su destino. ¿Y cómo debe sentirse el profesor/a? ¿Alguien se lo ha preguntado? Confiemos en nuestros profesores, saben lo que hacen. Y cuidémoslos, porque lo necesitan.

#4 citas en las que inspirarte

1. *Un maestro puede llegar a enseñar pero se precisa a un alumno que realice el difícil acto de aprender.*

   Javier Urra

2. *Para educar a un niño hace falta la tribu entera.*

   Proverbio africano

3. *El propósito de la educación es reemplazar una mente vacía por una abierta.*

   Malcom Forbes

4. *Enseñar a quien no tiene curiosidad por aprender es como sembrar un campo sin ararlo.*

   Richard Whately

2

Los estudios

El profesor sabe y enseña. El maestro sabe, enseña y ama. Sabe que el amor está por encima del saber y que sólo se aprende de verdad lo que se enseña con amor.

GREGORIO MARAÑÓN

Deberes y tareas

A estas edades el niño ya empieza a tener deberes y tareas escolares para hacer en casa. Normalmente las tareas se inician y terminan en clase (así debería ser), pero en ocasiones sí tendrán que hacerlas en casa.

Desde un principio debemos trabajar con ellos de manera progresiva para que vayan adquiriendo un hábito de estudio. Debe asumir esta responsabilidad de manera gradual.

Lo que no debemos perder de vista es que los deberes son responsabilidad del niño, no de los padres y así se lo debemos hacer saber desde un primer momento. Esto no quiere decir que no le ayudemos, pues cuando son pequeños y empiezan con las tareas necesitan de nuestro «acompañamiento» hasta que adquieren una autonomía y aprenden a trabajar ellos solos.

Estos son tres consejos clave a la hora de hacer los deberes:

1. Establecer un tiempo límite para hacer los deberes. No se pueden eternizar. Si pasado este tiempo no los termina, asumirá el efecto de no llevarlos terminados a clase al día siguiente.
2. Nuestro papel es de «supervisión», no el de sentarnos a su lado y hacerle las tareas.
3. Planificar un horario (que incluya también las actividades extraescolares).

Es importante que el niño adquiera un hábito de estudio desde que es muy pequeño.

Claves para hacer los deberes

- Se hacen siempre en el mismo lugar y, a poder ser (siempre que el horario lo permita), se deben hacer todos los días a la misma hora.
- Se deben iniciar siempre de la misma forma: empezar por las tareas que más le cuestan y dejar las que requieran menor esfuerzo para el final.

¿Cómo podemos ayudarle?

- Enseñándole unas técnicas de estudio básicas que le ayuden a organizarse.
- Mostrando en todo momento comprensión y sobre todo cercanía.
- Explicándole aquello que no ha entendido.

- Animarle en la tarea.
- Sobre todo, dejarle bien claro que los deberes son su responsabilidad.

Motivación

La mejor forma de motivar a nuestros hijos es:

- Dedicándoles tiempo y escuchando todo aquello que nos cuentan al regreso de sus clases.
- Dar mucha importancia a sus preguntas escuchando activamente todo aquello que nos quieren decir.
- Ofrecer respuestas acordes a la edad que tiene el niño. No podemos dejarle sin respuesta.
- Algo muy importante: permitir que se equivoquen y comprueben por sí mismos que el error bien asumido es una oportunidad para aprender y crecer.

Debemos preguntarnos: ¿estamos fomentando la curiosidad y el deseo de aprender de nuestros hijos?, ¿de qué forma reaccionamos ante sus preguntas y curiosidad? Pero debemos ir más allá y no solo preocuparnos por cómo motivarlos, sino también conseguir que se esfuercen y valoren el esfuerzo como un medio para alcanzar sus metas. Por ello es necesario educar en el esfuerzo transmitiéndoles un mensaje contrario al que están recibiendo de esta sociedad de bienestar y consumo. Por este motivo recomiendo:

- No valorar al niño únicamente por su rendimiento escolar. El niño es más que una simple nota.
- Escuchar atentamente a nuestro hijo: debemos estar presentes cuando nos cuenta sus cosas.

- Dedicarles nuestro tiempo y atención.
- Respetar sus preguntas e inquietudes.
- Estimular el hábito de la lectura y la escritura.
- Reforzar su autoestima.

Repensar los deberes

En la actualidad existe un intenso debate acerca de la conveniencia o no de los deberes y tareas escolares. Nos debemos plantear lo siguiente: ¿sirven de algo tantas horas de deberes? Los niños tienen 6,5 horas de tarea a la semana frente a una media europea de 4,9 horas. Según la OCDE (Organización para la Cooperación y el Desarrollo Económicos), España es el quinto país (de 38) que más deberes pone y, sin embargo, los resultados del famoso informe PISA nos sitúan a la cola del resto de países. Algo estamos haciendo mal y debemos cambiar con urgencia.

En palabras de Heike Freire:

> Más del 80% de los padres y madres dan prioridad a los deberes a la hora de planificar el tiempo libre de sus hijos e hijas, mientras el juego y la actividad espontánea se consideran importantes solo en el 9% de los casos.

De hecho y según la misma autora:

> Existen investigaciones que los relacionan con el estrés, una baja autoestima y el fracaso escolar.

Mi opinión

En una entrevista reciente me preguntaban acerca del tema de los deberes. Y esta es mi opinión:

> Deberes sí pero con matices. No soy partidario de eliminarlos totalmente, es decir, lo ideal sería iniciarlos en la escuela y destinar un tiempo para poder terminarlos allí. En el caso de que esto no ocurra el niño no debería invertir más de media hora para hacerlos (en primaria). Además es necesario que exista una coordinación entre el profesorado para que no se produzca una acumulación de tareas. De lo que sí estoy en contra es de los deberes abusivos que impiden al niño disponer de tiempo para jugar, realizar tareas extraescolares... Si los convertimos en una carga para el niño los deberes acaban matando su deseo de aprender.

En su interesante y recomendable libro *Bajo presión,* Carl Honoré dedica un capítulo entero a lo que el llama la espada de Damocles: los deberes. Me gustaría exponer aquí algunas de sus ideas:

- Las tareas escolares penden sobre nuestra familia como la espada de Damocles. Suprimimos excursiones familiares breves para que pueda concluirlas a tiempo. En ocasiones termina por hacerlas a toda prisa mientras desayuna o a altas horas de la noche. A veces hay lágrimas.
- Los políticos ven los deberes como un medio para aumentar los niveles escolares, o como mínimo para preparar los resultados de los exámenes. Muchos profesores consideran las tareas de la escuela una prueba de que están haciendo bien su trabajo.
- Varios estudios internacionales indican que tienen poco o ningún efecto en el rendimiento escolar de los alumnos menores de once años.
- Muchos recomiendan un máximo diario de diez minutos por curso ascendido. Eso significa no más de cuarenta minutos para un niño de cuarto (de entre ocho y nueve años) y dos horas para un estudiante de secundaria.

- En un día hay un número determinado de horas, y los niños necesitan un buen rato de inactividad escolar. El problema, por supuesto, es que en nuestra cultura atareada y altamente programada, el tiempo de inactividad no está bien visto. Si los niños no están quemándose las cejas, la tentación es apuntarles a una actividad extraescolar, o dos, o tres...

Actividad. Contesta estas preguntas con sinceridad:

- ¿Qué opinas de los deberes escolares?
- ¿Te molestan o crees que son totalmente necesarios para el aprendizaje y éxito escolar?
- ¿Tienes «peleas» con tus hijos por el tema de los deberes?

Extraescolares

Una vida excesivamente ocupada no es buena para nadie, y menos para los niños que viven una etapa de sus vidas en la que necesitan tiempo para jugar, para reír... En definitiva, tiempo para ser niños. Lo que ocurre es que nos encontramos con que muchos niños tienen la agenda más cargada que la de un ministro: tareas, deberes, extraescolares... Es necesario que ESCUCHEMOS mucho a nuestros hijos y valoremos sus inquietudes e intereses. No podemos sobrecargar su agenda con múltiples actividades por el mero hecho de «tenerlos ocupados». Tampoco los apuntes a aquellas actividades que a ti te habría gustado hacer pero no pudiste. Antes bien pregúntale a tu hijo: ¿quieres hacer esta actividad? Se trata de que disfruten haciendo aquello que realmente les gusta y les apasiona.

Presionamos tanto a nuestros hijos que
no les dejamos elegir su camino.

Fracaso escolar

Si el rendimiento académico de nuestro hijo no es el adecuado podemos estar hablando de fracaso escolar. Una de las causas puede ser la falta de motivación pero hay muchas más.

Tenemos que analizar qué estamos haciendo mal para que estos estudiantes no progresen hacia esa educación posobligatoria. Lo que no podemos permitir es que en la educación obligatoria se pueda pasar de curso con una gran cantidad de asignaturas suspendidas... ¿qué mensaje estamos transmitiendo a nuestros alumnos?

Con el actual sistema de evaluación estamos preparando a nuestros alumnos para que aprueben exámenes pero no los estamos preparando para la vida, que es lo realmente importante. Aprender no es aprobar exámenes. El mejor alumno no puede ser el mejor repetidor de lo que dice el profesor.

Considero que estos son los pilares fundamentales sobre los que se tiene que asentar el aprendizaje del niño:

1. La atención.
2. La memoria.
3. El lenguaje.
4. La inteligencia (o inteligencias).
5. La creatividad, para solucionar problemas.

No olvidemos que el principal referente son sus padres, sobre todo, en los primeros años. Posteriormente y a medida que va creciendo va adquiriendo mayor importancia el grupo de amigos.

La mejor manera de motivar a los niños es:

- Dedicarles tiempo y escuchar todo aquello que nos cuentan al regreso de las clases.
- Dar mucha importancia a sus preguntas y escuchar activamente todo aquello que nos quieren decir.
- Ofrecerles respuestas acordes a su edad.
- Algo muy importante: permitir que se equivoquen y que aprendan que el error es una oportunidad para aprender y crecer.

El papel de la familia es fundamental. Por este motivo es necesario que formen «equipo» con los profesores. Para que esto ocurra es necesario que desde la escuela valoremos el papel de los padres y abramos las puertas para que puedan colaborar y participar.

En cuanto al tema de la memoria, hay que destacar que se está exagerando y mucho. Debemos ayudar a que el alumno aprenda a construir bien su propia memoria (no solo la de conocimientos sino también la de procedimientos y hábitos). Es la base del aprendizaje. Tener buena memoria significa aprender y recordar con mayor facilidad. Un niño con buena memoria aprenderá más rápido, recordará más detalles y disfrutará del proceso de aprendizaje. Por tanto, debemos trabajar y ejercitar la memoria.

El esfuerzo

Lo que con mucho trabajo se adquiere, más se ama.

ARISTÓTELES

En ocasiones, el fracaso escolar tiene que ver con la actitud y el esfuerzo. Y aquí es muy importante que recordemos algo fundamental: debemos aceptar que aprender cuesta.

Esto es de gran importancia y por eso debemos hacer especial hincapié en el tema del esfuerzo. Como destaca el entrenador de tenis Toni Nadal:

> La labor de los profesores y, por encima de todo, de los padres es enseñar a amar el esfuerzo. El esfuerzo debería dejar de ser contemplado como algo negativo o penoso; el esfuerzo no es un castigo. Aceptar que las cosas cuestan es un elemento inevitable de una buena formación.

Vivimos en una sociedad que gira en torno a la diversión, a la satisfacción, a lo fácil, a la inmediatez. Debemos huir de eslóganes como:

- «Aprenda inglés sin esfuerzo».
- «Consiga su libertad financiera de manera sencilla».

Por este motivo nuestros hijos deben aprender a pensar, para que hagan lo más conveniente para su objetivo. Ferran Salmurri[4] nos ofrece algunas ideas para conseguirlo:

- Establecer unos horarios bien definidos en el tiempo.
- Reconocer la diferencia entre lo que nos apetece o nos agrada y lo que nos conviene. Satisfacción frente a diversión.
- Sustituir los pensamientos involuntarios desactivadores del tipo «esto es un palo», «no soporto tener que ponerme a estudiar» o «vaya aburrimiento», por otros positivos previamente previstos, tales como «luego me sentiré satisfecho» o «aprenderé, que es lo que yo quiero, y me sentiré bien».

---

4. *Razón y emoción*, Ferran Salmurri, Ed. RBA.

- Tanto en el momento de iniciar la acción como durante y posteriormente, dirigir la atención a aquello que resulta más conveniente para nuestro objetivo de bienestar emocional.
- Generar sentimientos de autosatisfacción ante lo que supone un esfuerzo

Dislexia

Decimos que un niño tiene dislexia cuando encuentra dificultades en el aprendizaje de la lectura a pesar de contar con un desarrollo intelectual suficiente para ello. De hecho, estos niños pueden ser brillantes en otros aspectos y destacar. Es bastante más común de lo que puede parecer, afecta aproximadamente a un 5% de la población. Tiene un componente genético (si uno de los padres tiene dislexia, el hijo tiene muchas posibilidades de ser también disléxico).

¿Cómo se reconoce la dislexia?

Los síntomas son muy variables y dependen de cada niño. Veamos algunos de ellos:

- Invertir letras, números y palabras.
- Modificación de la palabra.
- Confundir letras parecidas (p-q, b-d).
- Ritmo de lectura lento.
- Comprensión lectora pobre.
- Confunde palabras que se parecen fonéticamente.

Lo importante es que la intervención sea lo más precoz posible y debe combinar un trabajo coordinado y preciso entre profesores, especialistas y padres.

TDAH

El TDAH (Trastorno por Déficit de Atención e Hiperactividad) es la alteración del comportamiento más frecuente en niños en edad escolar y afecta aproximadamente a un 6% de ellos. En esta sociedad acelerada en la que vivimos aumenta el número de personas que sufren este trastorno. Lo que ocurre es que, como indica Javier Urra:

> La cifra también se dispara por diagnósticos erróneos que son falsos positivos, más la presión de algunas empresas farmacéuticas y la lógica aceptación por parte de algunos (pocos) padres de que el problema es orgánico, por lo que en nada pueden ellos interactuar de forma eficaz.

Este trastorno se caracteriza porque los niños que lo padecen responden de forma impulsiva y no reflexiva teniendo un nivel de actividad motora exagerado (hiperactividad). Son niños revoltosos, habladores y poco disciplinados, pero no son malos y para nada culpables de sus problemas.

Características principales

- Tendencia a cambiar de una actividad a otra sin terminar ninguna.
- Actividad desorganizada.
- Imposibilidad de permanecer sentado cuando es necesario estarlo.

Estos síntomas se presentan en más de un ambiente: en casa, en el colegio y otros. Para su tratamiento es necesaria una intervención profesional y, en algunos casos, médica. Es muy importante que la familia y la escuela estén en contacto permanente y trabajen en común.

Los niños con TDAH no tienen por qué ser distintos, ni torpes, ni vagos ni malos. Eliminemos etiquetas. En lugar de regañar y castigar procura reforzarlo en lo positivo de sus acciones.

Lectura

Empezamos a despertar el gusto por la lectura en nuestros hijos cuando les leemos cuentos. El cuento enseña al niño a resolver conflictos, estimula su creatividad y amplia su vocabulario, entre otras muchas cosas. Al niño de 6 a 8 años le encanta que lean para él. Hay muchas maneras de contar los cuentos: pon en ello todo tu empeño y creatividad.

Disponer de una biblioteca

Si queremos que el niño muestre interés y gusto por la lectura es importante que disponga de acceso a los libros. Por este motivo, una buena idea es ir «confeccionando» una biblioteca para el niño (que puede ser propia o compartida con sus hermanos). Para ello debemos regalarles libros aunque tampoco nos excedamos como con los juguetes, ya que también puede ser perjudicial.

¿Qué tipos de libros les gustan a estas edades?

- Cuentos y fábulas.
- Historias que narran las aventuras de niños de su edad.

- Historias de fantasía, aventuras y humor.
- Prefieren los libros con dibujos, textos breves…

No les gusta leer

Existen muchas causas por las que a algunos niños no les gusta leer. Una de ellas es el acceso fácil a otras actividades que les resultan más estimulantes y en las que no tienen que realizar esfuerzo alguno para obtener satisfacción: ver la televisión, los videojuegos, internet... Ante estos «adversarios» no es difícil que nos encontremos con niños que afirman con rotundidad que no les gusta leer, que se aburren. Y no conseguiremos que les llegue a gustar obligándoles a hacerlo, sino que podemos producir el efecto contrario: que muestren un mayor rechazo por la lectura.

No olvides los 10 derechos de un lector de Daniel Pennac:[5]

1. El derecho a no leer.
2. El derecho a saltarse páginas.
3. El derecho a no terminar un libro.
4. El derecho a releer.
5. El derecho a leer cualquier cosa.
6. El derecho a leer lo que me gusta.
7. El derecho a leer en cualquier parte.
8. El derecho a buscar libros, abrirlos por cualquier parte y leer un fragmento.
9. El derecho a leer en voz alta.
10. El derecho a leer y pensar en silencio.

---

5. *Como una novela*, Daniel Pennac, Ed. Anagrama.

Estrategias para fomentar el gusto por la lectura

Veamos algunas estrategias que podemos llevar a cabo para fomentar el gusto por la lectura en nuestros hijos:

- Visitad de manera frecuente la biblioteca de vuestra localidad (una o dos veces por semana).
- Visitad librerías y compradle aquellos libros que realmente le interesen. Como con los juguetes, no se trata de que compremos lo que nos gusta a nosotros sino que tengamos en cuenta sus gustos y preferencias.
- Acepta y valora sus gustos y preferencias.
- Léele todas las noches algunas páginas de libros divertidos e interesantes.
- Anímale a que te lea en voz alta de vez en cuando.

Estrategias para que «odien la lectura»

Estas son algunas estrategias que puedes seguir (no te lo recomiendo) si pretendes que lleguen a odiar la lectura:

- Oblígalo a leer: convierte la lectura en una obligación.
- Cuando lea en voz alta interrúmpele constantemente y no le prestes atención a lo que te está leyendo.
- Controla todo lo que lee: todo ha de pasar por tu filtro y tienes que seleccionar sus lecturas.
- Pídele que te haga un resumen de lo que ha leído.
- Castígalo sin televisión. Sustituye tele por lectura. «Deja de ver la tele y ponte a leer», dile.

Responsabilidades: tareas domésticas

En esta etapa el niño va a mostrar especial interés en colaborar y ayudar en las tareas domésticas. Por este motivo es un buen momento para enseñarle a realizar tareas básicas, sobre todo aquellas que tienen que ver con su cuidado (y el cuidado de las propias cosas). El niño debe asumir más responsabilidades y adquirir así una mayor autonomía: hacer su cama, ordenar su ropa, asear su habitación…

#Leído en internet

Consejos prácticos para favorecer la motivación de nuestros hijos en la segunda infancia y preadolescencia

(por Pedro Molino)

- En cualquier proceso de motivación para aprender en la Escuela Primaria ten presente los tres grandes deseos de cualquier persona y a cualquier edad: placer, reconocimiento y aumento de posibilidades.
- Sé modelo de curiosidad útil, de motivación y de superación personal.
- Dialoga con tu hijo o hija, tu alumno o alumna, y escúchalo para que se sienta comprendido y aprenda empatía.
- Transmítele confianza y felicítalo siempre por su interés y por sus progresos a medida que avance en ellos.
- Desdramatiza sus errores pero muéstrale la forma de aprender siempre de ellos.
- Refuerza su voluntad, su persistencia y su constancia en la tarea.

- Permítele un conocimiento positivo de sí mismo, la autoestima del logro y una mayor confianza en sus posibilidades.
- Premia su motivación y sus avances en los estudios con reconocimiento y con privilegios merecidos.
- No le des todo lo que te pida sin haber sido merecedor de ello, porque posiblemente no pondrá a prueba su capacidad para conseguirlo.
- Colabora con el centro educativo de tus hijos, respeta a sus profesores y vincula los contenidos de sus asignaturas a la vida real.
- Ayúdale a ordenar su espacio y su tiempo para el estudio, y favorece su ocio y el desarrollo de sus aficiones personales (deporte, naturaleza, arte, ciencia, tecnología, informática...).
- Encuentra su «elemento», aquello que más le guste y en lo que realmente destaque: puede ser su profesión del futuro.
- Fomenta un grupo de amigos para tu hijo o hija que complemente sus cualidades y en el que desarrollen una sociabilidad positiva.

#4 citas en las que inspirarte

1. *El aprendizaje produce, mediante el esfuerzo, todo lo hermoso.*

   DEMÓCRITO

2. *Todo parece imposible hasta que se hace.*

   NELSON MANDELA

3. *El secreto de la felicidad está en no esforzarse por el placer, sino en encontrar el placer en el esfuerzo.*

   André Gide

4. *La lectura es a la mente lo que el ejercicio al cuerpo.*

   Joseph Addison

3

La preadolescencia: una etapa determinante

Educar a un niño no es hacerle comprender algo que no sabía, sino hacer de él alguien que no existía.

JOHN RUSKIN

Entramos en una etapa en la que tu hijo deja de ser tan niño. Esto lo percibimos en su forma de hablar, de expresarse... Ha superado la etapa de querer ser el centro de atención y es capaz de comprender que hay más puntos de vista además del suyo. Comprobarás que es un niño muy distinto al de no hace tanto tiempo: de hecho, ya no se va a creer todo lo que le cuentes, sino que va a exigir explicaciones un poco «más serias».

En esta etapa «preadolescente» empezará a mostrar menos interés por las actividades en familia y buscará la compañía de un grupo de iguales. Los amigos van a cobrar un protagonismo mayor pero no por eso tú dejas de ser importante para tu hijo.

Es momento de seguir fortaleciendo esta relación, respetando en todo momento su intimidad y profundizando en la comunicación. En breve te será más complicado entablar una comunicación fluida, pues estará atravesando una etapa difícil en la que busca refugio en sí mismo y en los amigos. Se va acercando cada vez más a la adolescencia, lo que supone un periodo de grandes cambios a todos los niveles. Intenta ponerte en su lugar. Tu hijo va dando pequeños (o más bien grandes) pasos para adentrarse en el mundo adulto.

Tu hijo preadolescente y los estudios

Tu hijo lleva ya unos años en la escuela, lo que es una ventaja ya que está familiarizado con su funcionamiento (en cuanto a normas, horarios...), y sabe lo que esperamos de él en este ámbito tan importante para su desarrollo. Además entra en una nueva etapa escolar en la que aumenta el nivel de exigencia. La escuela no solamente es importante para que el niño adquiera conocimientos sino que debemos valorar la importancia de que pueda ampliar sus relaciones con otros niños a través del diálogo, la comunicación, la resolución de conflictos... La escuela no desarrolla únicamente competencias intelectuales sino también emocionales y sociales, algo fundamental para la vida.

Dificultades en los estudios. ¿Fracaso escolar o familiar?

Una experiencia nunca es un fracaso,
pues siempre se puede obtener algo positivo.

FERRAN SALMURRI

Hace tiempo, navegando por Facebook, encontré una imagen con una sencilla frase que me llamó muchísimo la atención. Inmediatamente me dispuse a compartirla en Twitter (lo bueno hay que compartirlo siempre). Me impactó e hizo que reflexionara sobre el modo en que solemos abordar el tema del fracaso escolar. La frase es la siguiente:

Cuando un niño presenta fracaso escolar no es el niño el que fracasa fracasamos TODOS los adultos que estamos a su alrededor.

Creo que la frase aunque breve es muy significativa y clarificadora. Debe ayudarnos a que nos planteemos muchas cosas como, por ejemplo, el papel decisivo que juega la familia en el fracaso o éxito escolar. Estas son mis reflexiones al respecto.

El fracaso escolar es uno de los grandes problemas que está sacudiendo nuestro sistema educativo actual. En nuestro país aproximadamente uno de cada cuatro niños fracasa en sus estudios con las dificultades y consecuencias que esto acarrea. Cuando hablamos de fracaso escolar hemos de tener muy en cuenta lo que acabamos de señalar: que todos y cada uno de los integrantes del sistema educativo debemos asumir nuestra parte de culpa y responsabilidad en el problema. Como muy bien se destaca: fracasamos todos los adultos que estamos a su alrededor porque, cuando hablamos de fracaso escolar, las miradas no pueden dirigirse únicamente a la escuela, hay muchas cosas que están fallando.

Me gustaría entrar a analizar el problema del fracaso escolar desde el punto de vista familiar ya que, en mi opinión y según los estudios e investigaciones recientes, la familia es una pieza clave y fundamental para prevenirlo y abordarlo. Tomemos como referencia el interesante documento PISA IN FOCUS n.º 10 (2011) donde se destaca que:

> La mayoría de los padres saben que dedicar más tiempo a sus hijos e implicarse de manera activa en su educación les proporcionará una gran ventaja en la vida, pero teniendo en cuenta la realidad en que vivimos, son muchos los padres que encuentran serias dificultades para conciliar su vida familiar y laboral.

A esto hemos de sumar que hay algunos padres que no se sienten capacitados para ayudar a sus hijos en las tareas diarias.

Sabiendo todo esto, es cuestión de ponernos en marcha. Es momento de tomar conciencia de que la actitud, la actuación y las expectativas que tienen los padres y las madres sobre la capacidad y logros de su hijo influye de una manera determinante en la creación de una imagen positiva o negativa del niño sobre el estudio. Por este motivo es realmente importante y necesario el uso que hacemos del elogio a diario, puesto que tenemos que elogiar al niño cuando hace bien las cosas y no estar continuamente recordándoles lo que hacen mal. En general, solemos atender más las conductas negativas que las positivas y es necesario que evitemos esto para que el niño comprenda perfectamente que valoramos sus progresos y relativizamos sus pequeños fracasos.

Son los padres y las madres los que tienen que trabajar día a día con sus hijos una serie de hábitos que actuarán como una vacuna preventiva ante el temido fracaso escolar: el hábito del estudio y el hábito de la lectura.

Para trabajar y fomentar el hábito del estudio en los primeros años es importantísimo que sean los padres los que propicien un verdadero clima de estudio en el hogar, ayudando así al niño a organizar el tiempo de estudio, a preparar el material... procurando que empiece a estudiar siempre a la misma hora y en el mismo lugar, evitando distracciones que le impidan trabajar con normalidad durante el tiempo que dedica al estudio.

Cuando hablamos de fracaso escolar solemos pensar casi siempre en un tipo de «alumnos torpes o que les cuesta», pero realmente no siempre es así sino que son niños inteligentes que no saben aprovechar sus capacidades. Es por ello que, desde la familia, tenemos que ofrecerle al niño una serie de recursos y estrategias que les ayuden a desarrollar estas capacidades. Fomentar un buen hábito de estudio ayudará a que el niño se sienta motivado y atraído por el trabajo escolar. Además, el niño tiene que comprobar en todo momento que los padres se preocupan e implican en todo lo que rodea su vida escolar: contacto con los profesores, asistencia a reuniones, colaboración en las actividades que se organizan en el centro, etc. Los niños comprueban de este modo que sus padres están realmente interesados en lo que hacen en su día a día.

Unido al hábito de estudio deberíamos preocuparnos también por fomentar el hábito de la lectura, ya que está demostrado que la escasez de lectura provoca un bajo rendimiento académico. Aquí los padres tenemos la obligación de educar con el ejemplo pues un niño difícilmente leerá si sus padres no leen, es decir, si no está rodeado de un ambiente propicio. Pero, ¿quiero decir con esto que si los padres leen el niño será lector? Evidentemente no, pero podremos aumentar la probabilidad de que esto suceda, que no es poco. Además, según se desprende del estudio citado anteriormente:

> Los estudiantes de 15 años cuyos padres leen a menudo libros con ellos durante su primer año de Educación Primaria tienen puntuaciones más elevadas en PISA 2009 que los estudiantes cuyos padres leen con ellos con poca frecuencia o ninguna.

Asombroso, ¿verdad? Pues hemos de tener presente que los estudiantes nunca son demasiado mayores para beneficiarse del interés que tienen sus padres por ellos. Como siempre digo, no podemos centrar nuestros esfuerzos y energías en ciertas etapas educativas y desconectar en otras: tenemos que ser constantes cuando educamos.

Además de todo lo mencionado, los padres tienen que supervisar cuestiones tan importantes como su alimentación, las horas de sueño y descanso, así como el tiempo que dedica al ocio. Son cuestiones de una importancia trascendental que inciden en el rendimiento escolar del niño. Un niño con una alimentación desequilibrada y que encima no descansa el tiempo suficiente es incapaz de rendir adecuadamente en su horario escolar. Trabajemos con ellos todos estos hábitos desde que son pequeños para que los vayan adquiriendo de forma natural.

En resumen, vemos que es mucha la responsabilidad que tienen las familias a la hora de prevenir y abordar el fracaso escolar. Todos los padres pueden y deben ayudar a sus hijos a desplegar todo su potencial dedicando tiempo a hablar con ellos, a leer...

Por este motivo insto desde aquí a las administraciones y a los equipos directivos a que, a la hora de elaborar planes contra el fracaso escolar, tengan en cuenta la importancia de las familias y estudien de qué forma pueden ayudarlas a que desempeñen un papel más activo y dinámico en la educación de sus hijos, tanto dentro como fuera de la escuela. Es urgente y necesario.

¿Qué podemos hacer los padres?

Hay varias cosas que los padres podemos hacer para prevenir y evitar el fracaso escolar. Destaco algunas de las pautas que señala Luciano Montero en su interesante libro *Mi hijo es un vago*:[6]

- Una buena comunicación entre los miembros de la familia.
- Evitar que las notas y la escolaridad sean el único tema de conversación con los hijos: hay que interesarse por todo lo que les acontece. Un hijo es algo más que un alumno.
- Expectativas realistas sobre el futuro profesional de los hijos.
- Mostrar una actitud positiva hacia la educación que reciben en el colegio valorando el esfuerzo y trabajo de los profesores.
- Comunicarse habitualmente con los profesores y participar en las propuestas del centro.

6. *Mi hijo es un vago*, Luciano Montero, Ed. La Esfera de los Libros.

- Estimular las ganas de saber.
- Realizar actividades variadas: visitar museos, cine, teatro, etc.
- Establecer rutinas que incluyen tanto el estudio como el ejercicio físico y el tiempo libre.
- No presionarles para que sean «los mejores de la clase».
- Más que reprender y castigar las malas notas hay que buscar las causas.

Colaboración de los padres con la escuela (II). Comunicación

Como hemos visto en el primer capítulo, la labor conjunta entre padres y docentes es fundamental para el correcto desarrollo del niño. Por este motivo es muy importante entablar una comunicación efectiva que nos ayude a todos: somos un EQUIPO. Veamos algunas ideas para conseguirlo.

10 ideas clave para comunicarnos padres y docentes

1. **La sinceridad es la clave.** Debemos abandonar el uso que solemos hacer del «doble lenguaje» diciendo unas cosas a la cara pero otras tantas a espaldas de nuestro interlocutor y sin que este se entere. Además, esta comunicación debe darse en el lugar y espacio indicado.
2. **No solo hablamos, también escuchamos.** Generalmente cuando nos reunimos queremos hablar y que nos escuchen. Como consecuencia de esto, en ocasiones no dejamos hablar al que tenemos delante. Es fundamental mantener una actitud de escucha activa, de apertura hacia el otro. Nuestra comunicación será más fluida y mejorará. No lo olvides: comunicarse adecuadamente es

una responsabilidad de dos: del que habla y del que escucha.

3. **No somos poseedores de la verdad.** Siempre podemos aprender algo del otro. Tenemos que evitar al máximo actitudes prepotentes estilo «yo lo sé todo», porque podemos y debemos aprender de los demás. Para ello debemos mostrar siempre una actitud humilde, estar abiertos a la oportunidad de aprender de cada experiencia. Por este motivo no podemos ir a las reuniones con la intención de imponer nuestro criterio u opinión.

4. **Nos equivocamos a diario.** Es fundamental que lo reconozcamos cuando nos equivocamos. Muchas veces por nuestra actitud de estar siempre a la defensiva no queremos reconocerlo y llevamos el error hasta las últimas consecuencias con tal de no quedar mal ante nadie. Errar es humano y reconocerlo es una muestra de humanidad y sinceridad. Si nosotros no lo hacemos tampoco podemos exigir a nuestro hijo que lo haga pues, como siempre afirmo, educamos a través del ejemplo ya que los niños hacen lo que ven.

5. **No hagamos oídos sordos.** Con frecuencia, tanto padres como docentes, mostramos una actitud defensiva y no nos escuchamos los unos a los otros. Nuestra actitud hace demasiado ruido como para escucharnos. Nos cerramos en banda ante ciertas opiniones que muchas veces se nos dan con la mejor intención. Tenemos que aprender a escuchar y aceptar lo que se dice de nosotros. Esto es síntoma de gran madurez. En ocasiones, actuamos peor que los propios niños.

6. **Aprender a ceder.** Tengamos en cuenta que ceder no es igual a perder, sino más bien todo lo contrario. Si lo que queremos es aprender a través del diálogo hemos de aceptar que, de vez en cuando, tenemos que ceder pues no podemos estar siempre imponiendo nuestra opinión. Es-

to genera muchas confrontaciones entre padres y docentes porque ni unos ni otros saben en qué momento deben ceder, ya que lo fácil es lo que venimos haciendo hasta hoy: echarnos las culpas los unos a los otros dejando muchísimos problemas por resolver.

7. **No invadas la intimidad del otro.** En ocasiones padres y profesores nos inmiscuimos demasiado en la vida de nuestro interlocutor y hacemos preguntas que pueden llegar a molestar. Tenemos que aprender a respetar la intimidad del que tenemos delante si queremos mejorar nuestras relaciones y que estas sean mucho menos tensas.

8. **No sólo es lo que decimos sino cómo lo decimos.** Es importante hablar en primera persona, expresando aquello que sentimos y deseamos. De esta forma tenemos mayores probabilidades de ser escuchados.

9. **Jamás faltar el respeto.** En ocasiones, la comunicación se basa en continuas y mutuas faltas de respeto. Cuando no respetamos o aceptamos al otro, no damos importancia a sus opiniones y sentimientos. Esta actitud trae consecuencias negativas que quizás nos molesten a ambos, pero somos nosotros quienes las estamos propiciando. Sin embargo, respetar no quiere decir estar de acuerdo.

10. **No podemos decirlo todo.** En muchas ocasiones, cuando nos reunimos padres y docentes, queremos decirlo todo. Vivimos en una sociedad atrapada en la vorágine del tiempo, con una rigidez de horarios excesiva y esto está generando muchos problemas y tensiones. Aunque la cantidad de reuniones quizá sea limitada por falta de tiempo en los centros, nos tenemos que centrar en la calidad de esos encuentros. Si disponemos de poco tiempo, por lo menos que sea de calidad. Para ello, padres y profesores debemos tener muy claro de qué queremos hablar en estas reuniones y no perdernos en divagaciones: no podemos improvisar sobre la marcha y por este motivo,

tanto unos como otros, debemos preparar y planificar a conciencia estas reuniones.

Como ves, la comunicación entre padres y docentes se puede y se debe mejorar. Si todos trabajamos para construir un nuevo tipo de comunicación, fluida y eficaz, mejoraremos mucho el tipo de relación que deseamos mantener con los profesores de nuestros hijos.

La importancia de decir gracias

Los padres podemos y debemos mostrar nuestro agradecimiento a la labor de los docentes por su trabajo diario con nuestros hijos. Mi amiga Elena Roger, pedagoga del Gabinete Pedagógico de solohijos.com publicó un artículo con una serie de ideas prácticas para agradecer al final de curso el trabajo del profesor de tu hijo.

Aquí comparto algunas de estas ideas:

- Agradece no solo al tutor de tu hijo sino también al resto de profesores que ha tenido a lo largo del curso.
- Aprecia el trabajo del profesor independientemente de los resultados obtenidos por tu hijo. Sepamos reconocer su labor humana.
- Permite que tu hijo también sea partícipe de este agradecimiento: la mejor forma de educar la gratitud es predicar con nuestro ejemplo.
- Comenta con la Dirección del centro tu satisfacción con dicho profesor o profesores. Si no tienes ocasión de hablar con la Dirección, una sencilla y sincera nota por correo electrónico será igual de efectiva:

☑ **Actividad.** Contesta con sinceridad esta cuestión: ¿de qué forma das las gracias al profesor de tu hijo? Te propongo como actividad práctica que, al final de este curso, elabores una carta de agradecimiento dirigida al profesor de tu hijo.

La pubertad

Se sitúa entre los 10 y los 13 años. Se trata de un fenómeno biológico que comporta grandes cambios: consolidación muscular, crecimiento óseo, aumento de estatura, aparición de vello en la zona genital y desarrollo de senos y genitales hasta alcanzar su tamaño adulto. En la actualidad se alcanza más precozmente. La pubertad llega antes a las chicas (aparición de la menstruación y desarrollo de los senos).

⚠ **Ojo.** Pubertad precoz: en los últimos años se ha detectado que algunas niñas inician su desarrollo puberal antes de los 8 años, a los 9 en el caso de los niños. Parece estar relacionado con factores ambientales y de alimentación.

Las hormonas provocan los cambios físicos que llamamos pubertad y al mismo tiempo influyen en los sentimientos del niño. Lo que necesitan en esta etapa es que los adultos de referencia les demos tranquilidad para afrontarla con total normalidad. Para ello debemos abordar el tema con naturalidad:

- Adelantándonos a los cambios y hablándole de ello antes de que aparezcan. Esto les dará seguridad y confianza en sí mismos.
- Respetar su intimidad.

- No compararlo con los demás: cada uno se desarrolla a su ritmo.
- Fortalecer su autoestima.

Uno de los retos del preadolescente es, sin duda, aceptar su nueva imagen que se transforma a una gran velocidad. Lo más importante es que recuerdes cómo viviste tú esta etapa de grandes cambios (tus sentimientos, tus miedos y experiencias) y de qué forma te hubiese gustado que te trataran a ti: hazlo así con tu hijo. Lo que más va a necesitar es tú comprensión.

La sexualización está presente en todos los cambios. En esta etapa aparecerán las primeras preguntas sobre sexualidad, aunque seguro que antes ya habremos abordado el tema explicándolo con un lenguaje adaptado y que el niño pueda entender. No podemos convertirlo en un «tema tabú», sino que debemos hablarlo y ofrecer información que dé pie a comentarios.

El juego (II)

En esta etapa el juego sigue desempeñando un papel muy importante en el desarrollo de tu hijo. Lo que ocurre es que sus gustos y preferencias van cambiando a medida que crece. Juegos que eran muy entretenidos para él en sus primeros años ahora ya no lo son tanto y va descubriendo nuevas formas de destinar su tiempo de ocio. En esta etapa irrumpen con fuerza las nuevas tecnologías: internet, videojuegos, tablets... Por este motivo debemos educar a nuestros hijos para que hagan un buen uso de esta tecnología.

Juegos y juguetes para niños de 10-12 años

Su interés se centra sobre todo en juegos de mesa y videojuegos. Además le siguen atrayendo mucho las actividades deportivas al aire libre. En esta etapa les gusta sobre todo:

- Juegos de estrategia.
- Material deportivo (balones, raquetas, bicicletas, etc.).
- Videojuegos.
- Juegos de mesa.

Disfruta al máximo esta etapa y aprovecha para buscar algún tipo de actividad que puedas realizar junto a tu hijo. Esto os ayudará a afianzar vuestra relación, encontrar tiempo para compartir, tiempo para la comunicación, etc.

Educar en valores

Siempre que abordamos el tema de la educación de nuestro hijo, de una manera u otra, terminamos hablando de la importancia de la educación en valores. Pero, ¿te has planteado a qué nos referimos cuando hablamos de valores? Podríamos definirlos como principios que permiten orientar nuestro comportamiento con el objetivo de realizarnos como personas. Nos proporcionan una pauta, un guión para formularnos metas y propósitos tanto a nivel individual como colectivo.

Poco a poco y a medida que vamos creciendo vamos configurando nuestra propia escala de valores, ya que damos más importancia a unos valores que a otros.

¿Te has parado a pensar alguna vez cuáles son los valores más importantes para ti? ¿Has pensado a cuáles das más importancia? ¿Cuáles de esos valores te gustaría transmitir a tus hijos?

No podemos olvidar que para transmitir esos valores es mucho más importante lo que hacemos que lo que decimos y, por tanto, debemos mostrar coherencia en nuestras acciones a la hora de educar. Busquemos oportunidades de ponerlos en práctica pues se nos presentan a diario, en cada momento. Un ejemplo de esto: no podemos decir al niño que sea respetuoso con los demás cuando nosotros estamos continuamente faltando el respeto a todo el mundo. Educa con tu ejemplo.

A continuación me gustaría destacar diez valores que considero fundamentales a la hora de educar a nuestros hijos. Como padres tenemos la responsabilidad de enseñarles y ayudarles a descubrir el valor de:

1. **La empatía.** El niño tiene que aprender a ponerse en el lugar del otro y entender cómo piensan y sienten los demás, ya que se trata de un valor necesario para la convivencia.

   Pregúntate: ¿muestras empatía ante los sentimientos de tu hijo?

2. **La humildad.** Es necesario que el niño aprenda que no es superior ni a nada ni a nadie en ningún sentido, a pesar de mostrar seguridad en las capacidades que posee. Vivir con una actitud humilde le permitirá conocerse mejor, valorar sus fortalezas e intentar mejorar sus debilidades. Actuar sin humildad es egoísmo.

   Pregúntate: ¿eres humilde o, por el contrario, arrogante o prepotente? ¿Qué ejemplo le ofreces a tu hijo?

3. **La autoestima.** Es importante que el niño aprenda a valorarse a sí mismo. Esto sirve de base para educar la empatía. Una buena forma de fomentar la autoestima es a través de una herramienta muy poderosa: el elogio.

   Pregúntate: ¿elogias continuamente a tu hijo o solo le recuerdas lo que hace mal?

4. **El compromiso.** El compromiso es un valor que demuestra madurez y responsabilidad. Se va adquiriendo progresivamente con los años. Debemos hacer ver a nuestros

hijos el valor de la palabra dada. Como he destacado anteriormente, una buena forma de hacerlo es a través del ejemplo.

Pregúntate: ¿cumples con tu palabra?

5. **La gratitud.** Es importante y valioso que nuestros hijos aprendan a mostrar gratitud.

   Pregúntate: ¿te muestras agradecido ante tu hijo y con los demás?

6. **La amistad.** Nuestro hijo debe aprender el valor de la amistad, del afecto mutuo que nace del contacto con «el otro». Aprenderá que el verdadero valor de la palabra amistad va mucho más allá que un simple clic para agregar amigos en sus redes sociales.

   Pregúntate: ¿cuidas tus amistades?

7. **El optimismo.** Es muy importante que nuestros hijos aprendan a vivir la vida con entusiasmo y optimismo, buscando siempre el lado positivo de las cosas a pesar de los reveses que nos presenta la vida. Deben huir del pensamiento negativo que nos atenaza.

   Pregúntate: ¿te muestras alegre y optimista ante tu hijo o negativo y pesimista?

8. **La paciencia.** Nuestro hijo debe cultivar la paciencia y aprender a diferir gratificaciones huyendo del «lo quiero aquí y ahora». Esto ayudará a controlar y canalizar su impulsividad mostrando una actitud paciente y serena frente a la vida.

   Pregúntate: ¿practicas la paciencia en tu día a día?

9. **El esfuerzo.** Un valor necesario en la sociedad actual que se caracteriza por la inmediatez y el mínimo esfuerzo. El niño tiene que aprender que todo lo que quiere conseguir requiere de un esfuerzo. Tenemos que explicarle que debe huir de eslóganes engañosos como: «aprenda alemán sin esfuerzo en una semana».

Pregúntate: ¿aplicas el esfuerzo a tus actividades y proyectos?

10. **La felicidad.** Este debe ser el objetivo de la educación que ofrecemos a nuestros hijos: conquistar su felicidad y que sean capaces de transmitir y contagiar esa felicidad a los demás. Para ello es importante cultivar la alegría, el optimismo, el sentido del humor, etc. Solo aquel que es feliz puede transmitir felicidad.

    Pregúntate: ¿eres feliz en tu vida?

☑ **Actividad.** Contesta esta pregunta y anota las ideas en el cuaderno: ¿cuáles consideras que deben ser los valores fundamentales que tienes que transmitir a tus hijos?

Valorar las pequeñas cosas

Quiero hablarte ahora de algo muy importante en la convivencia familiar y en la educación de nuestros hijos. Se trata de algo muy importante, pero que en ocasiones olvidamos debido a su sencillez: «dar importancia a las pequeñas cosas, a los pequeños detalles, a los pequeños momentos...»

En algunas familias, los padres están muy ocupados y preocupados en «dar a sus hijos todo lo que les piden», preocupados porque «no les falte de nada». Padres que se desviven por atender todas sus demandas, peticiones y caprichos. ¿Por qué ocurre esto? En muchas ocasiones es por querer llenar espacios y carencias como, por ejemplo: la falta de tiempo, la falta de atención, de estar con ellos... No queramos darles todo, empecemos por darles lo esencial. No confundamos ser buenos padres con «darlo todo» o sobreproteger a nuestros hijos. Ellos esperan otra cosa de nosotros. No es nada del otro mundo y por su sencillez tendemos a olvidarlo y descuidarlo: ellos valoran las pequeñas cosas, esos pequeños momentos… Aquí te dejo algunos ejemplos (se me ocurren cientos):

- Que valoremos ese dibujo o manualidad que nos muestran con tanta alegría e ilusión cuando regresan del cole. Para nuestros hijos es lo más importante en ese momento y quieren que se lo reconozcamos.
- Que apaguemos nuestros teléfonos y aparatos electrónicos cuando estamos disfrutando de una tarde con ellos. Estar con nuestros hijos no es lo mismo que compartir espacio con ellos, requiere de nuestra atención.
- Pasear y disfrutar de un atardecer.
- Observar juntos el cielo nocturno haciéndonos preguntas (y contestando sus interrogantes).
- Escuchar y bailar juntos una música que les guste.

Estas pequeñas cosas son las que realmente perduran en la memoria. Son las que siempre recordarán y no si les hemos comprado un móvil de última generación, un iPad o la videoconsola del momento. Con el tiempo se darán cuenta de que lo material no les llena sino que todavía les produce un mayor vacío interior y una insatisfacción que intentarán suplir con más objetos materiales pero sin éxito.

Vivimos en una sociedad compleja en la que debemos recuperar la sencillez. Buscamos las claves para educar mejor a nuestros hijos y nos perdemos en teorías pedagógicas que nos producen una mayor confusión. Tenemos que volver a la sencillez, a lo esencial… Cuando nuestros hijos miren hacia atrás y hagan memoria sobre lo vivido recordarán con cariño esas pequeñas cosas, esos pequeños momentos compartidos en los que estábamos presentes, en plenitud con ellos, compartiendo experiencias de vida. Eso no se olvida.

Disfruta de las pequeñas cosas de la vida,
un día te darás cuenta de que eran las más grandes.

#Leído en internet

Carta de Albert Camús a su maestro

Albert Camus ganó el Premio Nobel en 1957 y sintió que, si debía dar gracias a alguien, era precisamente al señor Germain, que había sido su maestro en primaria, y le escribió una carta. Hay quien dice que fue la única carta de agradecimiento que escribió… Todo aquel que haya tenido un buen maestro se reconocerá en las palabras del escritor:

> París, 19 de noviembre de 1957
>
> Querido señor Germain:
>
> Esperé a que se apagara un poco el ruido de todos estos días antes de hablarle de todo corazón. He recibido un honor demasiado grande, que no he buscado ni pedido. Pero cuando supe la noticia, pensé primero en mi madre y después en usted. Sin usted, sin la mano afectuosa que tendió al niño pobre que era yo, sin su enseñanza no hubiese sucedido nada de esto. No es que dé demasiada importancia a un honor de este tipo. Pero ofrece por lo menos la oportunidad de decirle lo que usted ha sido y sigue siendo para mí, y de corroborarle que sus esfuerzos, su trabajo y el corazón generoso que usted puso en ello continúan siempre vivos en uno de sus pequeños escolares, que, pese a los años, no ha dejado de ser un alumno agradecido. Un abrazo con todas mis fuerzas,
>
> Albert Camus

#4 citas en las que inspirarte

1. *Un niño que no sabe jugar es un pequeño viejo y será un adulto que no sabrá pensar.*

   Jean Château

2. *El mejor regalo que se le puede hacer a un hijo es ver a sus padres felices.*

   Erich Fromm

3. *Los padres somos modelos de aprendizaje del niño porque siempre nos están observando e imitando.*

   Jesús Jarque

4. *La madurez consiste en aceptar y amar a tus hijos tal como son, sin esperar que ellos te acepten y te amen tal y como eres.*

   Sócrates

4

Relación con otros niños. El acoso escolar

Mentía a mi madre para no ir al colegio porque sabía que a la entrada me podían pegar.

MIGUEL, 11 AÑOS

Para algunos niños ir a escuela se convierte en una auténtica tortura. A su alrededor todo son burlas, amenazas y aislamiento. Y si cuentan lo que está sucediendo o se defienden todavía puede ser peor.

El acoso escolar o *bullying* consiste en cualquier forma de maltrato intencionado y repetido, ejercido por uno o más estudiantes contra otro u otros compañeros. Suele tener lugar en la escuela (en el aula o el patio), pero puede darse también en otros contextos: actividades extraescolares, deportivas... El acoso se desencadena sin causa aparente o por un hecho insignificante: cometer un error en clase, sacar una nota muy alta o muy baja, el aspecto físico…

Bullying

¿Qué nos indica que se trata de acoso escolar?

Si se dan estas condiciones estaremos hablando de acoso escolar:

- Existe la intención de hacer daño (puede ser físico, verbal o psicológico).
- No se trata de una agresión esporádica sino que tiene continuidad en el tiempo de forma reiterada.
- Hay una desproporción de poder entre víctima y acosador.
- Vulnerabilidad de la víctima.
- Falta de apoyo por parte del menor que se siente aislado y asustado con temor a represalias.

Es importante que desde los centros educativos se elaboren protocolos de actuación para hacer frente a este problema.

Tipos de acoso

Existen múltiples formas de llevar a cabo este acoso. Puede ser:

- Físico: empujones, patadas, agresiones, romper objetos de la víctima…
- Verbal: insultos, motes, menosprecios públicos, destacar defectos físicos, comentarios racistas…
- Psicológico: minar la autoestima de la víctima, amenazas…
- Social: aislamiento de la víctima, exclusión del grupo, difusión de historias ofensivas, nadie le habla…
- *Ciberbullying*: el acoso se realiza a través de internet, redes sociales, Whatsapp…

¿Quiénes son los protagonistas de estas situaciones de acoso?

En las situaciones de acoso intervienen tres protagonistas:

1. El acosador: es el que mantiene el poder sobre la víctima y el grupo.
2. La víctima de la situación de acoso.
3. Los compañeros (espectadores-observadores) que no intervienen en defensa del débil.

¿Dónde suele suceder este acoso escolar?

- Zonas no vigiladas de los recreos.
- Cambios de clase.
- Servicios-baños.
- Autobús escolar.
- Salida del colegio.

Clave. Si quieres ampliar información sobre el tema y no sabes dónde acudir te recomiendo que visites la web de la Asociación NO AL ACOSO ESCOLAR. La asociación cuenta con un equipo de profesionales y voluntarios que te ayudarán a enfrentar y superar tu problema. La ASOCIACIÓN ofrece servicios de apoyo y orientación a jóvenes, familias, docentes y centros educativos. Ante una situación de acoso recuerda que no estás solo. Te ofrecen el apoyo de su equipo de voluntarios cualificados (psicólogos, abogados, educadores...). Es importante destacar que estos servicios son totalmente gratuitos, ya que su misión principal es la de poder ayudarte en caso de que lo necesites. Visita la web de la asociación: http://www.noalacoso.org

Analicemos con detenimiento cada uno de los protagonistas de la situación de acoso:

VÍCTIMA

¿Quién puede ser víctima? Cualquiera puede ser víctima de este acoso escolar pues no existe un perfil definido.

- Sufre ansiedad, temor, terror, vergüenza y su autoestima se quiebra (algunos presentan absentismo escolar, fracaso escolar, depresión e incluso se han dado casos de suicidio).
- Podemos sospechar del maltrato por la conducta que observamos en nuestro hijo o por informaciones de terceros (amigos, profesores...).

¿Cómo saber si tu hijo es víctima de acoso escolar?

Debemos reconocer algunos signos que indican que nuestro hijo puede ser víctima:

- Pérdida de objetos o material escolar.
- Rechazo repentino a ir al colegio (el domingo por la tarde se muestra especialmente nervioso-ansioso y pone excusas).
- Rotura de ropa, marcas-moratones (siempre pone excusas para justificarlas).
- Cambio de hábitos/patrones de sueño-alimentación.
- Llora sin motivo aparente.
- No quiere ir a excursiones, cumpleaños, etc.
- Baja su rendimiento escolar.
- Cambios de humor.
- Pierde interés en juegos/intereses habituales.

Si tu hijo es víctima:

- Lo principal es escuchar al niño, dando importancia a todo aquello que te cuenta, no minimices el problema.
- Muéstrale la máxima confianza y no quites importancia al asunto, déjale que hable y te explique todo: cuándo, quiénes, por qué y qué es lo que le hacen o dicen... Muéstrale tu apoyo incondicional.
- Elimina el sentimiento de culpa en el niño. Dile con rotundidad: «tú no eres el culpable de nada».
- Ponlo en conocimiento del centro escolar, pero nunca intentes hablar con los agresores directamente ni con sus padres. La dirección de tu Centro tiene la obligación de atender e investigar tus quejas, e iniciar los protocolos oportunos para que cese el acoso.
- En determinadas circunstancias es recomendable que el niño sea atendido por un especialista (psicólogo-psiquiatra). En casa debemos darle el máximo apoyo emocional que necesita.
- No es conveniente cambiar al niño de centro porque el mensaje que transmitimos es que estamos huyendo.

AGRESOR

- El agresor aprende a maltratar, se siente bien con ese papel que refuerza su conducta.
- Podemos reconocer que nuestro hijo es intimidador apreciando algunos signos:
  - Siempre quiere imponer sus deseos.
  - Es dominante, grita, muestra malos modos…
  - Falta de empatía.
  - Tiene tendencias agresivas.

Si tu hijo es agresor:

- Muéstrale confianza e intenta averiguar por qué actúa de esa manera.
- Hazle entender que el respeto hacia los demás es la clave de la convivencia, y que el acoso es inaceptable.
- Intenta que no vuelva a ocurrir, haciendo que piense cómo se sentiría si se lo hicieran a él.
- Trabaja la empatía. Y, por supuesto, no le rías las gracias.
- Ponlo en conocimiento del centro escolar para trabajar conjuntamente y ayudarle. Tu hijo también necesita ayuda y será conveniente que la ofrezca un profesional que oriente y asesore sobre cómo actuar, y averigüe las causas de la violencia del niño.
- Tiempo para la reflexión conjunta: que cuente y verbalice algunas de las situaciones en las que hizo uso de la violencia para pensar juntos de qué otra manera podría haber actuado o reaccionado.
- Resulta positivo que el niño, de manera formal y sentida, pida perdón públicamente a la víctima (ante los compañeros) con la coparticipación de los padres.

OBSERVADOR (ESPECTADOR):

El acosador necesita público para demostrar su poder.

- Los niños no suelen informar a los adultos de la escuela (para no ser tildados de chivatos). Aquellos que sí lo hacen demuestran que saben recurrir a los adultos cuando algo va mal y son capaces de no seguir al resto.
- Favorecen el acoso y refuerzan el poder del acosador (ríen la gracia) y aíslan a la víctima.
- Utilizan la «ley del silencio» (se castiga al que puede delatar).

- En el fondo hay un miedo al acosador (no quieren ser víctimas y sufrir lo mismo).

Si tu hijo es observador-espectador

- Hazle entender que hay que ponerse en el lugar de la víctima, rompiendo la ley del silencio y alertando a los profesores de lo que han visto, porque esto no les convertirá en «chivatos», todo lo contrario. Por eso es tan importante trabajar la empatía.
- Que no tienen que tener miedo a ninguna represalia por parte del agresor, porque en el momento en que este no se sienta apoyado por el resto, dejará de actuar.
- Hay que hacerles entender que 'la unión hace la fuerza', y siempre deben estar del lado de la victima, apoyándola.

Del *bullying* al *ciberbullying*

¿Cuándo estamos ante un caso de ciberbullying?

Según A. Caballero, el *ciberbullying* o ciberacoso:

> Es el acoso escolar a través de la red. Puede ser con mensajes desagradables o amenazantes desde el anonimato en el correo electrónico, o en páginas personales, chats o perfiles de redes sociales; en foros de mensajes o en una sala de chat; en móviles e incluso en los videojuegos *online*.

¿Por qué es especialmente grave el ciberbullying?

Principalmente porque tiene un mayor impacto y repercusión que el acoso escolar, ya que la tecnología permite esta amplia difusión de manera inmediata: si esto se graba y se transmite por la red, se lo muestras al mundo, amplificando el efecto del daño y el dolor del niño.

¿Cómo se manifiesta el **ciberbullying?**

Las formas que adopta son muy variadas y sólo se encuentran limitadas por la pericia tecnológica y la imaginación de los menores acosadores, lo cual es poco esperanzador.

Algunos ejemplos concretos podrían ser los siguientes:[7]

1. Colgar en Internet una imagen comprometida (real o creada mediante fotomontaje), datos íntimos, cosas que pueden perjudicar o avergonzar a la víctima y darlo a conocer en su entorno de relaciones.
2. Dar de alta, con foto incluida, a la víctima en una web donde se trata de votar a la persona más fea, a la menos inteligente… y cargarle de puntos o votos para que aparezca en los primeros lugares.
3. Crear en redes sociales o foros un perfil o espacio falso en nombre de la víctima, donde se escriban a modo de confesiones en primera persona determinados acontecimientos personales, demandas explícitas de contactos sexuales…
4. Dejar comentarios ofensivos en foros o participar agresivamente en chats haciéndose pasar por la víctima, de manera que las reacciones vayan posteriormente dirigidas a quien ha sufrido la usurpación de personalidad.
5. Dando de alta la dirección de correo electrónico en determinados sitios para que luego sea víctima de *spam*, de contactos con desconocidos…

---

7. *Mi hijo y las nuevas tecnologías*, Javier Urra, Ed. Pirámide.

6. Usurpar su clave de correo electrónico para, además de cambiarla de forma que su legítimo propietario no lo pueda consultar, leer los mensajes que le llegan a su buzón violando su intimidad.
7. Provocar a la víctima en servicios web que cuentan con una persona responsable de vigilar o moderar lo que allí pasa (chats, juegos *online*, comunidades virtuales…) para conseguir una reacción violenta que, una vez denunciada o evidenciada, le suponga la exclusión a quien realmente es la víctima.
8. Hacer circular rumores en los cuales a la víctima se le suponga un comportamiento reprochable, ofensivo o desleal, de forma que sean otros quienes, sin poner en duda lo que leen, ejerzan sus propias formas de represalia o acoso.
9. Enviar menajes amenazantes por *e-mail*, Whatsapp o Facebook; perseguir y acechar a la víctima en los lugares de Internet en los se relaciona de manera habitual provocándole una sensación de completo agobio.

Los ciberacosadores presentan muy poca capacidad empática, no se ponen en el lugar de la víctima y pierden la visión ética del uso de la tecnología.

Si tu hijo sufre ciberacoso…

- Escucha atentamente y con interés lo que te cuenta para confirmar que es cierto. No minimices el problema pensando que «no es para tanto» o que «son cosas de niños».
- Actúa de manera inmediata y contundente, no puedes dejar pasar ni un minuto.

En caso de que sea necesario te recomiendo que contactes con PROTÉGELES y les expongas el caso. Poseen una línea de denuncia: http://www.protegeles.com, teléfono (0034) 917400019, *e-mail* contacto@protegeles.com

Si a tu hijo le acosan por whastapp:

«Esa es justo la conversación que nunca hay que borrar», señala Pere Cervantes, coautor del libro *Tranki Pap@s*. ¿Por qué motivo? «Porque es algo que se puede presentar como denuncia en dependencias policiales. Simplemente apretando en la pantalla Whatsapp tienes la posibilidad de enviarla por correo electrónico».

Consejo de experto por Pantallas Amigas

Lee con atención estos diez consejos para combatir el *ciberbullying* y explícaselos con detenimiento a tu hijo:

Consejos básicos contra el *ciberbullying*:

- No contestes a las provocaciones, ignóralas. Cuenta hasta cien y piensa en otra cosa.
- Compórtate con educación en la red.
- Si te molestan, abandona la conexión y pide ayuda.
- No facilites datos personales. Te sentirás más protegido/a.
- No hagas en la red lo que no harías cara a cara.
- Si te acosan, guarda las pruebas.
- No pienses que estás del todo seguro/a al otro lado de la pantalla.
- Advierte a quien abusa de que está cometiendo un delito.
- Si hay amenazas graves pide ayuda con urgencia.

Amigos

Como ya he destacado, en esta etapa los amigos cobran una especial importancia en la vida de nuestro hijo. Veamos qué destacan los niños sobre aquello que les gusta/disgusta de sus amigos:

Lo que a los niños de estas edades les gusta de sus amigos:

- Que sean amables.
- Que sepan escuchar.
- Que sepan compartir.
- Que sepan solucionar conflictos.
- Que sepan ayudar a los demás.

Lo que a los niños de estas edades NO les gusta de sus amigos:

- Que sean antipáticos.
- Que sean «mandones».
- Que no compartan.
- Que tengan resentimiento.

Pactar con nuestros hijos

Es importante dialogar y pactar, en vez de imponer o, por el contrario, ser demasiado permisivo. Esta es una de las pautas recomendables para buscar el equilibrio en la relación entre padres e hijos. El pacto es una herramienta educativa que enseña a los niños a responsabilizarse de sus tareas y asumir las consecuencias si no lo hacen.

«Tienes que recoger tu cuarto», «cómete toda la comida», «haz las tareas». El modo imperativo que, en ocasiones, utilizan los padres para comunicarse con sus hijos no da lugar al diálogo. Los progenitores marcan e imponen el cumplimiento de las normas y el niño se limita a obedecer. En el otro extremo está la actitud paterna demasiado permisiva. En este caso, los adultos no establecen reglas ni pautas de comportamiento para los pequeños y, si lo hacen, son muy condescendientes con su cumplimiento.

El equilibrio está en un estilo cooperativo, basado en el respeto mutuo. Una herramienta de ayuda para lograr que los hijos colaboren de forma libre y responsable es EL PACTO, entendido como un acuerdo entre dos partes, en este caso el adulto y el niño, en el que ambos se comprometen al cumplimiento de una tarea y a asumir las consecuencias en caso de que no se cumpla.

El pacto como herramienta educativa

Al contrario que en el pacto, ni la imposición ni el exceso de permisividad ofrecen al niño la oportunidad de aprender a ser responsable, actuar con autonomía y tomar decisiones, tres cuestiones fundamentales para su desarrollo. Sin embargo, cuando existe colaboración entre padres e hijos, los niños entienden que las normas no son algo que deben cumplir por imposición, sino reglas que deben asumir de forma responsable mediante la valoración de sus consecuencias.

> A través del acuerdo logramos que el niño aprenda a responsabilizarse de un compromiso adquirido y a asumir una tarea que ha acordado con nosotros, sus padres.

Pactar permite incrementar su autonomía e independencia. Si cumple con lo pactado, «aprende el sentido de la responsabilidad, algo fundamental», y si no lo cumple «aprenderá que todo tiene consecuencias naturales». De este modo, el pequeño toma conciencia de que no siempre puede hacer lo que quiere.

Claves para pactar con los hijos

Para llegar a acuerdos es preciso que el niño tenga la madurez adecuada para entenderlos. Hasta los cinco años el pequeño no es capaz de tomar decisiones sencillas entre dos o tres alternativas y, por tanto, «no entiende de tratos».

A partir de esta edad, sí se puede empezar a hacer pactos sencillos y, a medida que madure, adaptarlos a su capacidad y entendimiento. Veamos algunas pautas cuando se opta por la estrategia del pacto:

- Valorar las actitudes positivas y las cosas que hace bien el niño, y no centrarse siempre en los aspectos negativos.
- Acordar con paciencia, simpatía y criterio.
- El pacto debe llevarse a cabo en una atmósfera cálida y segura.
- Tener presente que no todo es negociable.
- Recordar que pactar es llegar a acuerdos, no imponer.

Ventajas de pactar con tu hijo

- Favorece la comunicación entre padres e hijos.
- Fomenta la empatía, es decir, saber ponerse en el lugar del otro.
- Ayuda a expresar y verbalizar sentimientos, tanto positivos como negativos.
- Implica aprender a escuchar y respetar las opiniones de los demás, aunque no coincidan con las nuestras.
- La negociación es una habilidad fundamental para la vida adulta.
- Enseña a los niños a tomar decisiones y buscar soluciones.

Maleducar a través del deporte

Sobre la mala educación y la violencia que algunas personas manifiestan en los estadios deportivos, ¿somos realmente conscientes del mal ejemplo que damos a nuestros hijos con nuestra actitud y comportamiento en un acontecimiento deportivo? Creo que no nos damos cuenta de que los estamos maleducando cuando proferimos palabrotas e improperios de todo tipo delante de nuestros hijos.

Es un espectáculo lamentable asistir a un encuentro (de fútbol, por poner un ejemplo) y ver cómo un jugador rival o el árbitro se convierten en el blanco de insultos de un padre o madre que está sentado junto a su hijo viendo el partido. ¿Qué aprende el niño? ¿Qué ejemplo le estamos dando? La única lección que «aprende» es todo un repertorio de insultos y palabrotas, pero sobre todo una actitud agresiva, violenta. Con el tiempo el niño no tardará en reproducir las mismas frases y expresiones de su progenitor. El problema se hace patente cuando de esta variedad de palabras groseras se pasa a hechos violentos que en ocasiones han ocurrido y han tenido como protagonistas a menores: lanzamiento de objetos al campo, agresión al vecino de grada...

¿Y cuándo son los padres los que se enzarzan a puñetazos con aficionados del equipo rival delante de su hijo? Hace un tiempo un padre y su hijo fueron increpados en un estadio por aficionados radicales del club local tras intentar mostrar una bandera del equipo contrario. ¡Qué lamentable espectáculo!

En muchas ocasiones los verdaderos responsables de esta creciente violencia y agresividad en los estadios son los propios protagonistas: jugadores, entrenadores, presidentes o periodistas que imprudentemente caldean el ambiente previo a los partidos.

No podemos olvidar nunca que quien caldea el ambiente es responsable de lo que después suceda en el estadio y, como muy bien señala Paulino Castells:

> El nivel de agresividad del público corre parejo al que se da entre los jugadores.

Nunca me cansaré de repetir que estos futbolistas son ejemplo para millones de chavales que les siguen e idolatran. Por este motivo tienen una gran responsabilidad educativa. Por muy altas que tengan las pulsaciones se tienen que controlar pues si en algún momento insultan, escupen o agreden a un rival, ¿qué imagen están transmitiendo a esos niños que les siguen con gran admiración? ¿Qué ocurrirá cuando uno de esos niños lo imite en un partido del colegio? ¿Quién será responsable? Nunca deben olvidar que son el espejo donde se mira la juventud. Por tanto tienen una gran responsabilidad educativa que no siempre asumen.

Padres, deporte y educación

Los padres debemos ser los primeros en dar ejemplo a nuestros hijos cuando acudimos a ver cómo participan en las diferentes actividades deportivas que se desarrollan. Somos el principal referente de nuestros hijos y tenemos que dar buen ejemplo, pues el deporte base es un periodo formativo en el que nuestros hijos deben adquirir una serie de valores como el respeto, el compromiso, el compañerismo... No ayuda nada ver al padre o a la madre profiriendo al árbitro o al equipo rival todo tipo de insultos, amenazas, etc. Una imagen patética que debemos erradicar.

Hace un tiempo el Ayuntamiento de Valencia a través de la Fundación Deportiva Municipal puso en marcha la iniciativa «Con respeto, ganamos todos» dirigida al fútbol base que se lleva a cabo en los campos de fútbol municipales de la ciudad de Valencia. Esta acción surgió como una de las conclusiones del Plan Estratégico del Deporte de la ciudad y vino a dar continuidad al trabajo de los últimos años para acabar con los episodios de violencia física y/o verbal que ocurren con más frecuencia de lo deseado y que se alejan del objetivo formativo que debe presidir la actividad física.

Estas son las 10 reglas para los padres:

1. Acompaña a tus hijos a los partidos y entrenamientos siempre que puedas.
2. Tu presencia, un aplauso o una mirada cómplice pueden ser mucho mejor que estar gritando todo el tiempo.
3. Colabora con tu club para que sea un referente de juego limpio.
4. Los árbitros son personas que aciertan y se equivocan. ¡Respétales!
5. Evita conflictos con otros padres y ayuda a generar un clima positivo fomentando una buena relación, también con árbitros y entrenadores.
6. Recuerda a tu hijo que el resultado no es lo más importante. Pregúntale si ha hecho amigos y si lo ha pasado bien.
7. ¡No lo presiones! Lo importante es la diversión, el trabajo en equipo, la superación y la adquisición de hábitos saludables. Si tiene cualidades llegará lejos.
8. No es bueno castigarlo sin hacer deporte. Busca otra manera de que cumplan con sus obligaciones.
9. Evita conductas inapropiadas en espectáculos deportivos y contribuye a la correcta utilización de las instalaciones deportivas.
10. Confía en los entrenadores, profesores y monitores. Está claro que una actividad física conlleva algunos pequeños riesgos, pero ellos son profesionales y están capacitados para minimizarlos.

Es curioso que los padres, que por un lado son imprescindibles para facilitar la práctica deportiva de sus hijos (transporte, organización del fin de semana…), son una de las principales causas de los episodios violentos. Cualquier padre te dirá que quiere lo mejor para su hijo en todos los aspectos de la vida y en el deporte también, pero con más frecuencia de la deseada la ansiedad y la presión asociada a ese deseo les lleva a manifestar conductas que pueden tener una influencia negativa en el proceso formativo inherente a la práctica deportiva de sus hijos y, amparados en el anonimato de la grada, pierden la cordura, la educación y el sentido de la responsabilidad.

La muerte de un ser querido

Este es un tema que es necesario abordar con nuestros hijos. La muerte es un hecho ineludible de la vida: todos los seres humanos vamos a tener que enfrentarnos a ella. Por este motivo es importante disponer de los recursos necesarios para afrontar esta realidad de la mejor manera posible.

Se produce mucho daño y dolor con la ocultación que, además, es imposible de mantener ya que en algún momento vamos a tener que hablar del tema. Se lo podemos explicar con sus palabras para que el niño lo pueda asimilar en el momento evolutivo en el que se encuentra. Sus preguntas, sus dudas, miedos e inquietudes deben ser escuchados y atendidos. Estas son algunas preguntas que suelen hacer los niños:

- «¿A qué edad se mueren las personas?»
- «Tú no te vas a morir, ¿verdad, papá?»
- «El abuelito está malito, ¿se morirá?»

Los niños precisan de nuestra ayuda y nuestro acompañamiento, que les demos respuesta a sus preguntas y miedos: su concepto de muerte está en construcción.

#Leído en internet

Decálogo para educar hijos felices por Begoña Ibarrola:

1. Amor incondicional. Compartir tiempos y experiencias. Escucharle. Demostrarle nuestro cariño de la forma que mejor lo reciba.
2. Desarrollar su autoestima. Hacerle ver que es alguien único y especial. No compararle con nadie. Manifestar que se está orgulloso de él.
3. Impulsar su autonomía. Permitirle que haga cada vez más cosas solo. Ayudarle a sentirse capaz. Impulsar sus iniciativas.
4. Desarrollar la confianza en sí mismo. Enseñarle a confiar en sí mismo. Ayudarle a que acepte los errores con naturalidad.
5. Valorar el esfuerzo y la constancia. Valorar su esfuerzo en lograr algo, aunque no lo consiga. Mostrarle la satisfacción personal que conlleva, aunque no vaya unida al éxito.
6. Educar con honestidad y sinceridad. Favorecer un clima de sinceridad y honestidad en la convivencia. Hacerle ver las consecuencias de mentir. Enseñarle a aceptar las normas de los juegos.
7. Respetar su individualidad. Permitirle que sea él mismo, sin compararle con otros. Animarle a mostrar sus gustos y preferencias. Trato con él basado en el respeto mutuo.
8. Saber poner límites y normas. Marcar límites y normas claros. Ser constantes y coherentes en su aplicación. Hacerle ver las consecuencias de cumplir o incumplir las normas.
9. Aportar seguridad. Hacer que se sienta seguro en el entorno familiar. Ayudarle a que se sienta protegido por el adulto. Enseñarle a pedir ayuda cuando la necesite…

10. Educar en paz y tranquilidad. Favorecer un entorno de paz y armonía. Tratar de resolver los problemas en un clima de serenidad. Evitar las tensiones y utilizar el diálogo.

#4 citas en las que inspirarte

1. *Los hijos aprenden poco de las palabras; sólo sirven tus actos y la coherencia de éstos con las palabras.*

   Joan Manuel Serrat

2. *Si usted cree que la educación es cara, pruebe con la ignorancia.*

   Derek Curtis Bok

3. *Pensamos demasiado y sentimos demasiado poco.*

   Charles Chaplin

4. *La amistad duplica las alegrías y reduce las penas a la mitad.*

   Francis Bacon

5

Retos para educar hoy: tus hijos y las nuevas tecnologías

Los nativos digitales sin supervisión paterna están condenados a ser huérfanos digitales.

Pere Cervantes

Las nuevas tecnologías han llegado para quedarse. Además crecen a un ritmo tan vertiginoso que los padres nos vemos desbordados, perdidos y desorientados ante tanta información. Si a esto le sumamos el gran dominio que tienen nuestros hijos –que han nacido con Internet y para quienes la red forma parte de sus vidas– de estas tecnologías, hay que entonar el famoso «¡Houston, tenemos un problema!».

A la hora de educar a nuestros hijos tomamos como referencia «lo que han hecho con nosotros». En el caso de las nuevas tecnologías no tenemos referentes, ya que a nosotros no nos educaron en el buen uso de Internet o el teléfono móvil, sencillamente porque no existían (o estaba en una fase embrionaria). La brecha digital entre padres e hijos dificulta el control parental, ya que los padres consideramos que es difícil conocer las nuevas tecnologías porque avanzan y crecen de manera exponencial. Tenemos la obligación de estar al día para poder orientar, guiar, acompañar y educar a nuestros hijos de la mejor manera posible en esta faceta tan importante de sus vidas.

Nuevas tecnologías

Como ya he comentado, la tecnología evoluciona a una gran velocidad y cada día aparecen nuevas aplicaciones, redes sociales... Esto a los padres nos desborda y nos produce desorientación. Y esto tiene consecuencias: dejamos ordenadores, smartphones, tablets y videoconsolas en manos de nuestros hijos a edades cada vez más tempranas para que aprendan sin ningún tipo de guía o supervisión, y esto es un error. Nuestra obligación y responsabilidad es implicarnos y actualizarnos para educar a nuestros hijos en un uso seguro. Al respecto, Javier Urra destaca:

> Con las nuevas tecnologías, los niños tienen más capacidades, más posibilidades y una diversidad que antes no se tenía. Producen cambios cognitivos, pues tienen más información que los de generaciones anteriores (mucha más), que no se ha de confundir con formación. No se comprueba lo que se estudia, les vale el «corta y pega». Un niño puede estar navegando por Internet, jugando con los videojuegos, explorando lugares de cómics y no acceder a los foros que tratan de temas de interés, ni consultar las enciclopedias virtuales. [...] Las nuevas tecnologías han supuesto modificaciones sociales en los usuarios.

Como vemos, es necesario enseñar a nuestros hijos a utilizar de una manera útil estas tecnologías, así como la información a la que acceden, y somos los padres los que debemos acercar a nuestros hijos a esta educación tecnológica. Lo que ocurre es que solemos poner cientos de excusas para no «actualizarnos». Las más frecuentes son:

- No dispongo de tiempo para aprender. Si tus hijos pueden estar al día tú también puedes.
- Ya no tengo edad para aprender.
- Mi hijo sabe más de internet que yo.
- Total, mis hijos no se van a meter en problemas…

Te animo a que te pongas las pilas cuanto antes en este tema, que dejes de preocuparte y sobre todo que pases a la acción para ocuparte de ello. Es urgente y necesario, pues que nuestros hijos hayan nacido en la era digital no significa que sepan hacer un buen uso de lo digital.

Principales preocupaciones de los padres

En las diferentes Escuelas de Padres con Talento que he impartido sobre este tema las principales preocupaciones que manifiestan los padres en cuanto al uso de la tecnología y acceso a internet por parte de sus hijo son:

- El acceso a contenidos inapropiados.
- Si los hijos son víctimas de ciberacoso.
- El miedo a que puedan sufrir algún tipo de «acoso sexual» en la red (Grooming).
- El uso abusivo o adicción a las tecnologías (internet, móvil, tablets...).
- El contenido que puedan compartir y la privacidad del mismo.

Internet

Internet se ha convertido en una herramienta imprescindible para nuestros niños y jóvenes (también para los no tan jóvenes). Algunos contenidos no son adecuados para ellos. Por este motivo es importante que supervisemos más que controlemos. Es necesario que dediquemos y pasemos tiempo con ellos mientras navegan. Debemos guiar al niño desde edades tempranas dotándole de formación e información sobre seguridad: en definitiva prepararlo para el futuro. También podemos hacer uso de un sistema de control parental que nos ayuden en esta supervisión. Aquí también es fundamental educar con nuestro ejemplo: el niño observa y copia el uso que nosotros damos a la tecnología.

Internet es una fuente de riesgos pero también de oportunidades. Debemos estar razonablemente preocupados. No podemos ni debemos demonizar Internet. No hay que ser alarmistas. Tenemos que valorar y ver si son más los riesgos o las oportunidades que nos ofrece, pero nunca apartar al niño de internet pues le estaríamos negando parte de su educación como ciudadano tecnológico.

Internet y el tiempo libre

Internet y las pantallas no pueden ocupar todo el tiempo libre de nuestros hijos. Por este motivo debemos establecer una normativa de uso que nuestros hijos deben cumplir. Aspectos a tener en cuenta para ello son:

- El tiempo de exposición diario (o semanal).
- Los momentos para conectarse a Internet.
- Espacios desde los que accede.

Claves para navegar en la red[8]

- Dedica tiempo a navegar con tus hijos: conéctate con ellos y acompáñalos para conocer mejor sus intereses y preferencias.
- Establece tiempos de conexión. Comprueba que estos se cumplen.
- Ubica el ordenador en un lugar común de la casa (facilita la supervisión).
- Comprueba que acceden a páginas adaptadas a su edad.
- Facilítales información sobre los posibles contenidos nocivos que se pueden encontrar.
- Explícales las medidas de seguridad que deben tomar a la hora de conectarse.
- Haz uso de algún programa de filtrado o control parental.

Teléfono móvil

Es un tema en el que los padres nos sentimos bastante desorientados y perdidos. No sabemos qué hacer ni de qué forma actuar. Todo son interrogantes: ¿cuándo le compro el dichoso teléfono? ¿A qué edad deberían empezar a usarlo? ¿Cómo puedo ayudarle para que haga un buen uso?

Los estudios e investigaciones recientes nos indican que los niños suelen tener el primer móvil entre los 9 y los 12 años. Puedo corroborar este dato a través de mi experiencia, pues observo a diario que el móvil se ha convertido en el regalo estrella cuando van a sexto de primaria. A veces antes. Como puedes comprobar, estamos iniciando a nuestros hijos en el uso del móvil a edades muy tempranas sin tener ninguna necesidad ni la madu-

8. Adaptado del libro *Tus hijos y las nuevas tecnologías*, de Javier Urra, Ed. Pirámide.

rez para hacer un buen uso del mismo. Nosotros, los adultos, les estamos creando esa necesidad.

Compramos el teléfono con la justificación de que es para tenerlos localizados, pero ellos no tienen el mismo concepto y el uso que le dan al móvil es bastante distinto al del motivo por el que se lo hemos comprado. Además, en muchas ocasiones el único control que tenemos sobre el teléfono es el referido al gasto, desconociendo por completo lo que pueden llegar a hacer nuestros hijos con un móvil en el bolsillo.

No sé hasta qué punto muchos padres somos conscientes de lo que hacemos al poner un smartphone en manos de un niño de 9 años e incluso más pequeño. Porque los niños ya no se conforman con un simple teléfono que emita y reciba llamadas, quieren un móvil de última generación con cámara de fotos y vídeo, juegos, aplicaciones, música, acceso a Internet… (cuántas veces he escuchado eso de: «Papá, quiero que me compres un iPhone»). Estamos poniendo un ordenador en el bolsillo de nuestro hijo con el peligro que esto supone, ya que pueden acceder a Internet desde cualquier lugar (si no tienen tarifa de datos, tranquilos que ya se encargarán de buscar un punto de acceso Wifi para poder hacerlo y así conectar Whatsapp, Instagram, Facebook...).

Educar con el ejemplo

La evolución permanente de los teléfonos móviles nos obliga a estar continuamente actualizados. Los padres debemos conocer las funcionalidades de los móviles actuales y el uso que los niños les dan.

Debemos educar en el buen uso de los teléfonos móviles. Para ello debemos fijar y acordar unas normas de uso que nos ayuden a evitar el máximo de riesgos. Es muy importante que los padres eduquemos aquí también con nuestro ejemplo. No podemos decir al niño que mientras se come no puede estar conectado al

Whatsapp y nosotros estar haciéndolo continuamente en cada comida: coherencia en nuestro mensaje. Estas normas que establezcamos deben incluir:

- Tiempo de exposición.
- Momentos de uso.
- Fijar una hora de desconexión del teléfono por la noche.

Clave. Insistir en la privacidad de la imagen, que no deben tomar fotos ni vídeos de otras personas sin su permiso. No aceptar imágenes comprometidas de nadie (véase sexting). Si piensas regalar a tu hijo terminales móviles como tablets o smartphones, ten en cuenta el siguiente decálogo de César Cánovas, autor del libro *Cariño, he conectado al niño*:

1. Instala previamente un antivirus. Es tan importante tenerlo en el móvil o la tablet como en el ordenador.
2. Activa una contraseña en el terminal para controlar la descarga de aplicaciones o la realización de compras. Sólo tú debe conocer dicha contraseña.
3. Enséñales a cuidar su privacidad poniendo con ellos otra contraseña para desbloquear la pantalla, de tal forma que nadie pueda acceder a los contenidos que ellos guardan en el aparato en caso de pérdida o robo.
4. Controla el tiempo de uso del móvil o tablet. Deben saber cuánto tiempo pueden utilizarlos y en qué horarios. Establece una diferencia clara entre el uso semanal y de fin de semana.
5. Delimita espacios y momentos en los que no se permita su uso: durante las comidas y las cenas, en reuniones familiares… y no permitas su uso en habitaciones con la puerta cerrada como cuartos de baño.
6. Si tienen un perfil en una red social, repasa con ellos y con frecuencia tanto el nivel de privacidad como los amigos, contactos o seguidores que tengan.

7. Presta especial atención a las fotos que suben. Acostúmbrales a consultar antes de subir una foto en la que aparezcan ellos mismos, y adviérteles sobre la necesidad de respetar la privacidad de los demás no subiendo fotos sin autorización previa de sus padres (obligatorio para los menores de 14 años).
8. Lee con ellos las condiciones de uso y permisos que solicita cada aplicación que quieran descargarse, para que tomen conciencia de los datos e información personal a los que pueden acceder las distintas app.
9. Explícales la importancia de no conectarse a redes gratuitas wifi desconocidas, sin haber verificado antes qué entidad es la responsable de dicha red.
10. Utiliza sistemas de control parental que te permitan evitar el acceso a contenidos dañinos e inadecuados.

En definitiva, lee e investiga sobre el funcionamiento de las tecnologías que usan tus hijos. Ellos necesitan que tú seas una referencia a la que poder acudir en caso de duda o ante un problema concreto.

Cuando encendemos el móvil, apagamos la calle.
ZYGMUNT BAUMAN

Pautas para un uso responsable y seguro del móvil

A LOS PADRES

- Tenemos que comprarle el móvil a una edad y una maduración adecuada, teniendo en cuenta también su entorno de amistades.
- Debemos dejar muy claro a nuestros hijos lo que pueden hacer y lo que no pueden hacer con el móvil.

- No utilizar el móvil como castigo o recompensa.
- Si el teléfono es de contrato, controlar las llamadas y el consumo y compartir esta información con los hijos para que sean conscientes del coste.

A LOS HIJOS

- No deben responder llamadas con número oculto.
- No facilitar su número a extraños (tampoco el número de sus amigos).
- No guardar datos personales en el móvil.
- No compartir imágenes que les envían sus amigos con terceros, sobre todo si son de carácter personal o íntimo.
- Si son víctimas de ciberbullying deben guardar los mensajes de texto y e-mail.
- Si reciben imágenes pornográficas o con agresiones tienen que entregarlas a sus padres o profesores.

Los niños reciben su teléfono móvil demasiado pronto

Estamos dejando el teléfono móvil en manos de nuestros hijos demasiado pronto. En un estudio que ha realizado Mobile Phone Checker, una encuesta dirigida a 23.000 personas, una de las conclusiones destacadas es que los niños reciben su primer teléfono móvil a los siete años de edad. Personalmente me parece un auténtico disparate. Les estamos creando una «necesidad innecesaria».

Estamos acabando con la infancia y creando necesidades inútiles, adelantando y quemando etapas a una velocidad de vértigo. ¿Para qué necesita un niño de siete años un teléfono móvil?

¿Por qué los padres compran móviles a los niños a tan temprana edad? Según el citado estudio, tres cuartas partes de ellos aseguraron que era por razones de seguridad, para estar más tranquilos. La verdad es que me sorprende que la tranquilidad y la seguridad vengan dadas porque nuestro hijo tenga un móvil en el bolsillo, no lo acabo de entender. Además, si es para estar en comunicación, es decir, para tenerlos controlados, siempre les digo lo mismo a los padres: ellos saben muy bien qué hacer para eludir ese control.

Otro de los aspectos que me llama mucho la atención del estudio es que destaca que un 22% de los padres les compraron el teléfono porque sus compañeros de clase también lo tenían. Como vemos, la presión del grupo es muy fuerte y muchos padres acaban consintiendo la compra del aparato simplemente para que su hijo no sea el único que no lo tenga. No creo que sea la forma más acertada de proceder. Debemos establecer y mantener nuestro criterio y decisión sobre el tema como padres sin dejarnos influir por la opinión de otras familias y amigos de nuestros hijos.

El estudio revela, además, que la precocidad a la hora de recibir el primer móvil no es lo único que ha cambiado sino también la moda y la facilidad por conseguirlo. Los niños de hoy no se conforman con cualquier teléfono, quieren un smpartphone de última generación.

Nos queda mucho trabajo por hacer para evitar que las modas y el consumo voraz arrastre a nuestros hijos a consumir estos aparatos sin ningún tipo de preparación. Insisto: es nuestra responsabilidad como padres dar ejemplo y educar en un uso responsable del mismo. Además, debemos retrasar al máximo la compra del teléfono pues a un niño de 7-8 años no le hace ninguna falta un teléfono móvil. A partir de los 14 ya cambia la situación.

La televisión también maleduca

No cabe ninguna duda de que una de las cosas que más preocupa a los padres de hoy es qué tipo de programas ven sus hijos en la televisión. Teniendo en cuenta las enormes dificultades que encuentran las familias para conciliar su vida familiar y laboral, es lógica esta preocupación pues muchísimos niños pasan largas tardes solos en el hogar como se desprende del estudio «Encuesta de Infancia en España» de la Fundación SM.

Pero, ¿a qué dedican el tiempo los niños cuando están solos en casa? Según indican las encuestas fundamentalmente a navegar por internet, a ver la televisión y a hacer uso de sus teléfonos móviles, lo cual puede ser preocupante.

Somos los padres los que tenemos que educar a nuestros hijos para que hagan un uso responsable de la televisión y eviten lo que irresponsablemente emiten algunas cadenas de televisión dentro del llamado «horario de protección infantil», que tan poco se respeta. Además, los responsables últimos del consumo que se hace de la televisión cada día somos las familias.

El horario protegido es el que se encuentra en la franja de las 6:00 a las 22:00 horas y durante el cual no se pueden emitir programas clasificados como «no recomendados para menores de 18 años». Existe también un horario reforzado que es el que está en la franja de las 8:00 a las 9:00 y de las 17:00 a las 20:00 horas de lunes a viernes y de 9:00 a 12:00 horas los sábados, domingos y festivos de ámbito nacional, donde no se pueden emitir programas clasificados como «no recomendados para menores de 13 años».

Ahora bien, hemos de tener en cuenta que desde la aparición de la televisión digital hay una gran diversidad de canales que se dedican a emitir una programación destinada a los niños casi las 24 horas, como Disney Channel, Clan, Boing... Aunque ahí también hay mucho que comentar. La pregunta es: ¿está la televisión pensada para los niños? o, mejor aún, ¿la mayoría de los programas que se emiten en la actualidad están pensados para un público infantil o adulto? Dentro de ese «tramo protegido» están presentando:

1. Debates donde lo que prima es el insulto, la descalificación y las faltas de respeto continuadas.
2. Estereotipos de diversa clase, presentando a la mujer como reclamo sexual, el culto al cuerpo...
3. Contenidos violentos donde no solo aparece violencia física sino también verbal y psicológica. Aquí incluiría algunos informativos que muestran contenidos violentos y explícitos innecesarios. Es peligroso presentar la violencia como un modo sencillo de resolver los conflictos.
4. Muestran la sexualidad como algo banal y de una manera muy superficial.
5. Un uso del lenguaje desagradable y, en muchas ocasiones, inadecuado.

Consejos para un buen uso de la televisión

- Tenemos que evitar que el niño tenga televisión en su habitación. Ésta deberá estar en la sala principal de la casa donde nos permita el diálogo con nuestros hijos mientras la están viendo.
- En la medida de lo posible, tenemos que acompañar a nuestros hijos mientras ven la televisión comentando aquellas imágenes o expresiones que no son apropiadas.
- Tenemos que aprovechar y convertir la televisión en una herramienta educativa para el diálogo y el debate.
- Determinar un horario que se ha de cumplir y revisar la

programación seleccionando los programas adaptados a su edad.

- No tenemos que utilizar la televisión como única forma de recompensa.
- No tener la televisión todo el día encendida evitando que se convierta en el centro del hogar o el único lugar de encuentro en el espacio familiar.
- Potenciar en nuestros hijos una actitud crítica que les ayude a adquirir una mayor autonomía.

En definitiva, tenemos que educar en cómo ver la televisión tanto desde la familia como desde la escuela, pues si sabemos aprovecharla, tenemos una herramienta muy poderosa y útil a nuestro favor.

Criterios de selección de la programación

Los programas que nuestros hijos pueden ver deben ser:

- Adecuados a su edad.
- Coherente con los valores que deseamos transmitirles.
- Útiles para su aprendizaje emocional, académico…

Tiempo para ver la televisión

- Niños menores de 5 años. Controlar el acceso a la televisión y «otras pantallas». En cualquier caso debemos seleccionar programas muy específicos y siempre bajo la supervisión de un adulto.
- A partir de los 5 años. El tiempo máximo de «exposición a pantallas» recomendado no debe superar los 90 minutos diarios.

#Leído en internet

Cinco recomendaciones para el uso sin riesgos de la webcam

Para todas aquellas personas que tengan una cámara web, recomendamos seguir estos cinco consejos básicos para un uso seguro de la webcam:

- Usarla únicamente con interlocutores de máxima confianza y no hacer delante de ella nada que no se haría en público.
- Tener presente siempre la información de contexto que la cámara puede estar transmitiendo.
- Mantener el equipo libre de software malicioso para evitar activaciones remotas.
- Girar la cámara hacia un ángulo muerto cuando no se esté usando porque de esa manera evitamos que, por un descuido o una activación remota, pueda emitir imágenes inadecuadas. Si viene integrada en el equipo es portátil, basta taparla con cinta adhesiva o similar.

Si se pretende conocer la identidad del interlocutor y se intercambia con él la imagen de la webcam por unos instantes, se le debe pedir en ese momento que haga algo (por ejemplo, simular unas gafas rodeando sus ojos con los dedos) que nos garantice que no está mostrando una grabación.

#4 citas en las que inspirarte

1. *Mis hijos, por supuesto, tendrán un ordenador algún día. Pero, antes de que llegue ese día, tienen libros.*

   BILL GATES

2. *Los filtros parentales son necesarios pero no suficientes. La familia debe estar cerca para evitar que los hijos se enreden en la red.*

   ROSA SUÁREZ Y BEGOÑA DEL PUEYO

3. *Internet es como un gran inventario (de información) pero no constituye en sí misma la memoria.*

   UMBERTO ECO

4. *La irrupción de las nuevas tecnologías nos obliga a educar a los niños de forma distinta.*

   HOWARD GARDNER

6

Mi hijo no hace caso

Educad a los niños y no será necesario castigar a los hombres.

PITÁGORAS

En el primer libro de la colección apunté algunas ideas sobre la disciplina, las normas, los límites, etc. que me gustaría resumir brevemente en este capítulo antes de abordar nuevos contenidos sobre el tema.

¿Qué es la disciplina?

No tienes que herir para enseñar,
y no tienes que ser herido para aprender.

GANGAJI

Existen muchísimas definiciones de disciplina, pero de tanto usar esta palabra estamos desvirtuando su significado y valor.

Me gusta mucho cómo la define Marilyn Gootman en su libro *Guía para educar con disciplina y cariño*:

> La disciplina ayuda a los niños a desarrollar su autocontrol [...] Como padres debemos enseñar a nuestros hijos autocontrol para que puedan valerse por sí mismos. Los niños tienen que aprender a ocuparse de sus necesidades, proteger su salud y seguridad, afrontar los disgustos, compartir, expresarse de forma constructiva, sentirse bien consigo mismos, respetar las necesidades de los demás y relacionarse con ellos.

A medida que el niño crece, empieza a reconocer el valor y la necesidad de la disciplina y empieza a trabajar para adquirirla por sí mismo, pasando de la disciplina a la autodisciplina.

Disciplina no es castigo

No debemos confundir disciplina con castigo. Disciplinar es guiar, estimular, acompañar, construir una autoestima sana y, al mismo tiempo, corregir el mal comportamiento. En definitiva, todo lo que hagamos para ayudar a nuestros hijos a mejorar. La disciplina efectiva es respetuosa con el niño. La disciplina, por tanto, ha de tener un sentido y un propósito: jamás debe ser impuesta.

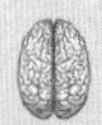

Recuerda.

- **Disciplina:** guiar, estimular, acompañar y ayudar a ser mejores.
- **Castigo:** enseñar a no hacer las cosas de manera incorrecta.

¿Cómo sabemos si la disciplina que establecemos es respetuosa o castigo?

Para saber esto debes contestar a estas preguntas con sinceridad:

1. ¿Te gustaría que te lo hicieran a ti?
2. ¿Le ayuda a tu hijo a mejorar?
3. ¿Mejorará tu relación con él o la dañará?

Objetivos de la disciplina

Los objetivos principales de establecer disciplina son:

1. Enseñar cualidades personales que le serán útiles toda la vida: autocontrol, empatía, resolución de conflictos…
2. Proteger a tu hijo.
3. Transmitirle unos valores esenciales.
4. Aprender a convertirse en un adulto «responsable».

Normas y límites

Vivimos en una sociedad en la que, por desgracia, muchas madres y padres todavía temen establecer límites y marcar unas normas a sus hijos. Existen diversas razones por las que no lo hacen. Entre ellas destaca la de querer «gustar a sus hijos» y por ello nunca decirles que no a nada. Otros quieren actuar como colegas de sus hijos creyendo equivocadamente que así los van a querer más. En palabras del pediatra Aldo Naouri:

> Este deseo de gustar a los hijos, que tienen prácticamente todos los padres, socava el ejercicio de su autoridad, pues se ven entregados en un auténtico concurso de seducción ante el niño.

Veamos un ejemplo concreto extraído del libro de Paulino Castells *Tenemos que educar*:

> Un padre va con su niño de siete años a unos grandes almacenes y tiene que pasar por la sección de juguetería. El buen hombre no tiene ningún interés en comprarle nada a su hijo y, antes de entrar en la sección, le prohíbe que pida nada. Pero el crío, al ver la cantidad de juguetes allí concentrados, comienza a exigirle que le compre uno de ellos. Y como conoce los puntos débiles de su progenitor, y uno de ellos es que no le gustan los «espectáculos» en público, irrumpe desconsoladamente en un fuerte llanto que hace dirigir hacia él todas las miradas de los clientes que transitan la sección. Miradas tiernas y condescendientes para el crío y recriminatorias para el padre. El padre, apesadumbrado y acongojado, termina comprando el juguete de marras.

Tenemos que aprender a saber decir que no a nuestros hijos sin ningún tipo de complejos. ¿Cómo puedes ser que haya niños que escuchen la palabra no por primera vez cuando entran en la escuela? Síntoma de que algo está fallando.

Otro de los motivos por los que los padres no marcan límites es porque vivimos en una sociedad que antepone los derechos a los deberes, y eso está teniendo graves consecuencias en el terreno educativo tanto el ámbito familiar como en el escolar. El psiquiatra brasileño Augusto Cury describe muy bien lo que está ocurriendo en la actualidad:

> Antiguamente, los padres eran autoritarios, hoy lo son los hijos. Antiguamente, los maestros eran los héroes de sus alumnos, hoy son sus víctimas.

Por ejemplo, hace años la sola presencia del profesor en el aula era suficiente para inspirar respeto y, por tanto, una cierta autoridad. Pero hay que tener en cuenta que, más que autoridad había un autoritarismo que en ocasiones era excesivo. En lugar de evolucionar positivamente hemos pasado al extremo opuesto en la actualidad: «fuera tarimas, fuera mesas… Aquí todos somos iguales: alumnos y profesores, todos colegas». Hemos vivido un tiempo en que algunos profesores han querido ser colegas de sus alumnos.

Este falso progresismo y liberalismo ha hecho mucho daño y ha provocado que surjan toda una serie de problemas y dificultades difíciles de resolver.

En su libro *Con ganas, ganas* Álvarez de Mon, apunta una idea muy interesante:

> De un paradigma educacional severo y firme, movidos por el subyugante efecto péndulo, hemos derivado hacia el pesimismo y la debilidad». Es decir, hemos pasado del «esto está prohibido o es obligatorio» al «prohibido prohibir» sin detenernos en un término medio.

Ejemplo. En ocasiones se da la circunstancia de que algún alumno molesta a sus compañeros porque no tiene ganas de estudiar e impide el funcionamiento normal de la clase. Expulsarle parece que está mal visto (ya que en raras ocasiones se hace: solo bajo circunstancias extremadamente graves). Siempre prioriza el «tienen derecho a la educación». Y yo me cuestiono, ¿tiene ese alumno más derecho que el resto? ¿Acaso no tienen derecho los demás a recibir la clase con normalidad? No es que esté a favor de la expulsión como método educativo, pero tendremos que establecer algún mecanismo que regule estos casos y haga comprender a un alumno que está haciéndolo mal y que eso tiene consecuencias, que no solo está en posesión de derechos, también de deberes. Dice Fernando Savater que «no se debe permitir que nadie boicotee esa tarea formativa, sea con arrogancia o por desidia», y añade: «no dejar nunca de educar a quienes lo quieren y requieren por hacer un favor a los que se niegan tozudamente a ello». Se puede decir más alto, pero no más claro.

El juez Emilio Calatayud incide muchísimo en que «tenemos complejo de joven democracia y por ello nos estamos resintiendo». Estoy muy de acuerdo con él sobre todo cuando afirma que «no nos atrevemos a llamar a las cosas por su nombre». Vivimos en una época en que todo es tabú y abusamos en exceso de los eufemismos para no ofender a nadie.

En las aulas esto también está teniendo consecuencias. Veamos un ejemplo:

> En el informe TALIS (Teaching and Learning International Survey) se destaca que «uno de cada cuatro profesores pierde al menos un 30% de las clases en tareas administrativas o en llamar la atención a los alumnos que continuamente interrumpen las clases. Los docentes españoles de secundaria están entre los más molestos con el ambiente de sus clases. En general, los profesores pierden un 13% del tiempo de clase manteniendo el orden. Por ejemplo en Brasil el porcentaje crece hasta el 17%. Sin embargo, en Bulgaria, Estonia, Lituania y Polonia la cifra baja a menos del 10%. Aquí en España el porcentaje se acerca a los más altos: el 16%». Considero que es un tiempo excesivo y que nos debe hacer reflexionar a todos para poder abordar este problema y lograr que el tiempo empleado en la acción educativa tenga mayor efectividad. Es aquí donde observamos con claridad que hemos sabido hacer una muy buena pedagogía de los derechos, pero no hemos sabido explicar muy bien que estos derechos llevan implícitos toda una serie de deberes y obligaciones. Ahí hemos fracasado y lo seguimos haciendo. Por este motivo tenemos que empezar a reivindicar una pedagogía de los deberes necesaria sin perder de vista, claro está, el marco de los derechos. No podemos dejar que nuestros hijos y alumnos crezcan con el convencimiento absoluto de que solamente tienen derechos. También tienen deberes y esto, o no se transmite o no se sabe transmitir.

Esta pedagogía que reivindico se debe poner en funcionamiento a nivel social: los padres, la escuela, los medios de comunicación, los políticos... Todos tenemos que ponernos las pilas para que el mensaje no se pierda por el camino.

Simplemente tenemos que observar la cantidad de denuncias que llegan anualmente a las fiscalías y juzgados de menores. Es tremendo. Muchos de estos menores están convencidos de que solamente son poseedores de derechos y que hay total impunidad ante las faltas que cometen. Y como están totalmente equivocados se lo tenemos que hacer ver. Aplaudo por ello la cantidad de sentencias educativas y ejemplares que el juez Emilio Calatayud impone a los menores, ya que es una manera pedagógica y educativa de recordarles que, además de derechos, tienen unas obligaciones que cumplir y que si han hecho un daño a la sociedad lo tienen que reparar. Quizás si promoviésemos esta pedagogía de los deberes no tendríamos que llegar a tales extremos. Es responsabilidad de toda la sociedad el que este tipo de educación tenga éxito porque esta falta de autoridad no solo está presente en la educación sino que estamos empapados de ella a nivel social: en los campos de fútbol, en los recintos de ocio, en el ámbito familiar...

¿Qué nos dice la ciencia acerca de los límites?

El neuropsicólogo Álvaro Bilbao señala en su libro *El cerebro del niño explicado a los padres*:

> Puedo garantizar a todo padre y educador que los límites son necesarios en la educación del cerebro. Puedo defender esta afirmación porque existe toda una región del cerebro dedicada exclusivamente a fijar límites, hacerlos valer y ayudar a las personas a tolerar la frustración que supone su no cumplimiento.

Se refiere a la región prefrontal del cerebro. Como puedes comprobar tenemos poderosas razones para recomendar el establecimiento de límites a la hora de educar a nuestros hijos desde que son pequeños.

Los límites son necesarios para…

- Que el niño se sienta seguro y protegido.
- Ofrecerles una estructura sólida a la que aferrarse.
- Que el niño vea que los padres son fuertes y consistentes y se sienta mucho más inclinado a identificarse con ellos.
- Que le ayuden al niño a tener claros determinados criterios sobre las cosas.
- Enseñar al niño a que debe renunciar a veces, que debe aceptar el no. Es una forma de enseñarle a enfrentarse luego a las frustraciones de la vida.
- Que el niño aprenda valores tales como el orden, el respeto y la tolerancia.

Necesitan oír un «NO»

El «NO» ayuda a crecer y resulta necesario para enseñar determinados hábitos y también para evitar comportamientos peligrosos o indeseables. Los niños van a escuchar muchas veces en su vida la palabra «NO», y no únicamente de nosotros, sus padres. Por este motivo debemos enseñarles a afrontarlo desde que son pequeños pues es algo fundamental para su educación. El «NO» enseña…

- Que hay unos límites.
- Que los padres actuamos con firmeza.
- Autodisciplina.
- Aporta seguridad: el niño sabe qué esperamos de él en todo momento.

Pero hemos de tener mucho cuidado, sobre todo a partir del primer año de vida del niño en el que nos dedicamos a «prohibir por sistema» abusando enormemente de esta palabra. ¿Sabes que un niño desde que nace hasta que cumple los ocho años oye cerca de cien mil veces la palabra «NO»?[9] Como destaca Laura García Agustín:

> Así lo asegura un estudio realizado en EE. UU. con niños de tres y cuatro años. Mediante un sencillo sistema de micrófonos colocados en sus orejas durante 24 horas, este estudio descubrió que los pequeños oían sistemáticamente frases del tipo: «¡No toques eso!», «¡no te pongas ahí!» o «¡no comas eso!». También destacó que por cada elogio que el niño obtenía, recibía a cambio una media de nueve reprimendas.

Sorprendente, ¿verdad? Piensa antes de decir ese «NO» si realmente es importante para no excederte.

Normas justas y las justas

Un tema que siempre trabajo en mis Escuelas de Padres con Talento es el de las normas. Vamos a ver con detenimiento la importancia que tienen y cómo deben ser para que tengan efectividad y se cumplan. Muchos de los problemas que nos encontramos a la hora de educar a nuestros hijos (conflictos, dificultades...) tendrían fácil solución si desde un principio supiésemos establecer unas normas claras y sencillas.

¿Qué son las normas?

Son pautas o reglas que establecemos los padres y que ayudan a nuestros hijos a funcionar en la vida, a distinguir lo que está bien de lo que está mal, lo que es peligroso y lo que no lo es. Y, aunque parezca contradictorio, las normas les ayudan a moverse con mayor libertad y sobre todo seguridad.

Es a los padres a quienes corresponde establecer estas normas,

---

9. *Educar a los más pequeños*, Laura García Agustín, Ed. Temas de Hoy.

pero sin caer en el exceso (normativismo) pero tampoco en el defecto (permisividad). Los autores Pilar Guembe y Carlos Goñi destacan un principio básico que personalmente recomiendo: «Normas justas y las justas». Veamos el motivo:

1. **Deben ser justas.** Porque no se trata de imponer porque sí, sino de establecer unas reglas que les ayuden a CRECER y desarrollarse de una manera integral.
2. **Las justas.** Más vale que pongamos pocas normas y que éstas se cumplan que un exceso de normas que no se cumplen porque es imposible hacerlo. Seamos realistas a la hora de ponerlas.

Además, muy importante: debemos ir adaptando las normas a la edad y periodo evolutivo del niño. Algunas se mantendrán pero otras irán cambiando. Algunas serán innegociables pero otras se podrán negociar y consensuar con nuestros hijos (sobre todo en determinadas etapas).

¿Cómo deben ser las normas?

Las normas deben ser:

1. **Pocas.** Ya lo he mencionado, muchas normas pero que no se cumplan no sirven de nada.
2. **Claras y concretas.** Debemos explicar con claridad a nuestro hijo qué esperamos de él. No basta con decirle «no llegues tarde a casa» o «pórtate bien». Hemos de concretar más y mucho mejor si lo expresamos en positivo con frases afirmativas, destacando lo que realmente esperamos y no lo que no queremos que haga. Veamos un ejemplo:
   - Evitar: «no pintes la mesa».
   - Mejor: «se pinta en el cuaderno».

3. **Apropiadas.** Debemos ir revisando las normas a medida que nuestro hijo va creciendo, ya que las necesidades van cambiando y, por tanto, las normas no sirven todas para siempre.
4. **Sencillas y fáciles de entender.** Debes comprobar que tu hijo entiende los motivos por los que has establecido las normas. No se trata de prohibir por prohibir.

Es muy importante recordar que si queremos que se cumplan las normas los primeros que debemos cumplirlas somos los padres, ya que somos su referente y debemos dar ejemplo. No podemos exigir lo que no cumplimos.

Veamos algunos ejemplos de situaciones reales que se deben regir por normas claras y precisas:

- La hora de hacer los deberes del colegio.
- La hora de acostarse y levantarse.
- El tiempo que dedican a conectarse a internet.
- El uso del teléfono móvil.
- Distribución de las tareas del hogar.
- Limpieza y orden de la habitación.

☑ **Actividad.** Siéntate con tu pareja y hablad detenidamente sobre las normas que tenéis establecidas en vuestra familia. Revisadlas conjuntamente y comprobad si realmente se están cumpliendo. Anotad en un cuaderno aquellas que no se cumplen y al lado ideas sobre qué hacer para que sean más realistas y se cumplan. Pasado un tiempo revisadlas de nuevo eliminando aquellas que ya no son útiles y proponiendo nuevas (adaptándolas a la edad de vuestros hijos).

¿Qué hacemos con las normas y los límites en verano?

En primer lugar hemos de tener en cuenta que, a pesar de que estamos de vacaciones de verano (de nuestros respectivos trabajos), no estamos de «vacaciones de hijos». Con ello quiero destacar que nuestra tarea educativa es permanente durante las 24 horas del día, los 365 días del año. Como decía Josefina Aldecoa, «la educación es un proceso que no termina nunca».

En la Escuela de Padres con Talento nos estamos encontrando con casos de madres y padres que nos dicen que sus hijos les repiten esta frase cuando les piden que hagan algo: «No me pidas que haga eso, estoy de vacaciones». Eso es inadmisible porque a pesar de que están (estamos) de vacaciones, TODOS tenemos nuestras responsabilidades familiares que cumplir, por ejemplo, tareas domésticas, hacer la comida, hacer la cama…

Por tanto, que estemos de vacaciones no implica que los límites, las normas y los hábitos deban quedar en suspenso. Aunque hemos de tener en cuenta una serie de aspectos, ya que debemos actuar con mayor flexibilidad en cuanto a horarios, tiempos... Actuaremos con mayor flexibilidad con algunas normas, pero otras permanecerán inmutables porque son innegociables.

Por tanto nuestra actitud en verano debe basarse en un equilibrio entre:

EXIGENCIA + CARIÑO + LIBERTAD

No hemos de movernos en extremos (ni autoritarios ni permisivos) sino a través del sentido común y actuando en la práctica diaria con exigencia y mucho cariño para dotar al niño de mayor libertad en algunas cuestiones. Hemos de recordarles a los niños que estos cambios son temporales y que en cuanto se inicie el nuevo curso, todo volverá a la normalidad; es decir, a los hábitos, costumbres y horarios normales.

En el caso de los preadolescentes y adolescentes veamos algunas ideas que nos pueden resultar interesantes:

- Debemos establecer un calendario (horario) de manera conjunta con nuestros hijos para distribuir las actividades que van a realizar durante el verano. Hay tiempo para todo, aunque como ya he destacado anteriormente hemos de ser flexibles.
- Debemos aprovechar el verano para dedicar tiempo a la familia, a cultivar un mayor contacto padres-hijos que no podemos llevar a cabo a diario por motivos laborales: viaje en familia, actividades en familia...
- Tenemos que «desenganchar» a nuestros hijos de las pantallas: móviles, televisión, internet... y fomentar que realicen actividades al aire libre, actividades que durante el curso no pueden desarrollar: piscina, playa, actividades en familia, campamentos...
- Además, deben tener tiempo para la lectura. No una lectura obligada sino lo que ellos quieran leer, lo que les guste. No estableceremos un tiempo fijo de lectura pues un día pueden leer un capítulo y otro medio libro. Aquí la flexibilidad debe ser mayor.
- Tendremos en cuenta que donde mayor conflicto puede surgir es en el tema de los horarios: salir con los amigos, regreso a caso, etc.
- Con los adolescentes ya podemos negociar algunas normas y ver si las van cumpliendo, y de esta forma mantenerlas o ir modificándolas a lo largo del tiempo.

Como ya he destacado anteriormente, lo más importante es que los padres debemos mostrar COHERENCIA entre lo que les pedimos y lo que nosotros hacemos, ya que tenemos que educar con el ejemplo. No podemos decir que tienen que cumplir con sus responsabilidades y luego nosotros afirmar que «eso no lo hacemos porque estamos de vacaciones».

Tampoco podemos olvidar que en las vacaciones van a tener tiempo para aburrirse, para hacerse preguntas, para encontrarse a sí mismos. Te recomiendo que vayas con tus hijos a ver un amanecer o una puesta de sol. Es algo que no van a olvidar. Y recuerda: no basta con querer a tus hijos, tienes que decírselo cuantas más veces mejor.

Las vacaciones son un tiempo para estar juntos, para el encuentro, para disfrutar educando.

Castigo y sus consecuencias

Educar sin castigar es posible y además absolutamente necesario. Para poder hacerlo es preciso que nos planteemos nuestro estilo educativo. Como muy bien indican Pilar Guembe y Carlos Goñi:[10]

> A golpe de sanción no se consigue nada, porque en educación nada se consigue a golpes. El castigo no ha de ser la norma sino la excepción; no ha de ser ordinario sino algo extraordinario. Una dinámica de premios y castigos nos llevan a un punto muerto, o incluso de retroceso. La única forma de salir adelante pasa por cambiar de metodología. Si algo no funciona, es poco inteligente que continuemos utilizándolo. Probemos otras alternativas como la motivación positiva, el diálogo, las consecuencias educativas sensatas o las estrategias para ejercer la autoridad.

Como ves, el castigo no es un recurso imprescindible para educar a nuestros hijos.

---

10. *Educar sin castigar*, Pilar Guembe y Carlos Goñi, Ed. Desclée De Brouwer.

Repercusiones negativas del castigo

Los castigos tienen repercusiones negativas en nuestros hijos. Esta son algunas de ellas:

- Rabia.
- Frustración.
- Inseguridad.
- Falta de autoestima.
- Odio y resentimiento (hacia quien impone el castigo).
- Mentir (para evitar ser castigado).
- Enseña lo que no se debe hacer pero no lo que sí se tiene que hacer.

Los castigos son más «útiles» para la persona que los pone que para la que los recibe. Además, la gran mayoría de los castigos son totalmente inútiles, los ponemos por no saber qué hacer, improvisando con un único objetivo: imponer nuestra autoridad. Aunque pueda parecer que funcionan muy bien a corto plazo, a largo plazo son ineficaces.

Los denominados «castigos tradicionales» suelen reunir una serie de características que los convierten en algo totalmente contraproducente:

- Son desproporcionados: «te castigo un mes sin salir».
- Incoherentes: «le das un cachete y le dices: ¡no se pega!».
- Humillantes: «no te quiero, fuera de mi vista».
- Peligrosos: «ahora te vas tú solo».
- No se cumplen: «todo el verano sin ver la tele».
- Antieducativos: «como os habéis peleado, castigados a leer un rato».

Como entenderás, prefiero hablar de consecuencias más que de castigo. Las consecuencias de diferencian del castigo en varias cuestiones fundamentales:

- El castigo implica «desquitarse» con el niño. Es una forma de venganza para aliviar nuestro sentimiento de enfado o frustración. No es necesario que el niño sufra para que aprenda que su conducta es inapropiada.
- La consecuencia tiene como objetivo enseñar por qué no deben cometer el mismo error.

Importante: El castigo sitúa la responsabilidad de la corrección en manos de los padres y las consecuencias la sitúan en manos de los niños para que corrijan aquello que han hecho mal.

Paciencia

En un seminario sobre la educación de los hijos organizado por el Adler Institute en Israel contaron la siguiente historia:[11]

> Una mujer estaba en el supermercado cuando de pronto su hija pequeña se puso a llorar. La mujer, en un tono de voz calmado, dijo: «Un par de cosas más, Sharon, y nos iremos». El llanto continuó, la niña cada vez gritaba más. La madre le dijo en un tono de voz muy pausado: «Hemos acabado, Sharon; pagamos y nos vamos».
>
> En la caja, los gritos y el llanto se intensificaron. La madre, que seguía tranquila y sosegada, continuó: «Ya casi estamos, Sharon, enseguida iremos al coche». Las niña siguió gritando hasta que finalmente llegaron al coche.
>
> Un joven se acercó a la madre y le dijo: «La he visto en el súper y quería decirle que me ha impresionado su capacidad de man-

11. *What You Can Change and What You Can´t: The Complete Guide to Successfull Self-Improvement*, Seligman, Ed. Vintage citado en *Elige la vida que quieres*, de Tal Ben-Shahar, Ed. Alienta.

tener la calma mientras su hija Sharon estaba en plena rabieta. He aprendido una lección importante».

La madre le dio las gracias al joven y añadió: «Pero no se llama Sharon. Yo soy Sharon».

La paciencia es un árbol de raíz amarga
pero de frutos muy dulces.

Proverbio Persa

El poder mágico del elogio

Me gustaría desvelarte uno de los poderes «mágicos» que tenemos para educar mejor a nuestros hijos. Comprobarás que se trata de algo muy sencillo pero de gran eficacia: el poder del elogio.

Algo que siempre destaco en las sesiones de Escuela de Padres es que, con frecuencia, la gran mayoría de madres y padres tendemos a destacar «lo negativo», aquello que hacen mal nuestros hijos, pero somos incapaces de reconocer y valorar lo que hacen bien. Y esto es un gran error.

¿Qué necesitan nuestros hijos?

José Antonio Marina destaca que hacia los dos años el niño dice una frase que nos retrata como especie: «Mamá, mira lo que hago». Como el propio Marina afirma:

> Cuando el niño dice esta frase no está pidiendo un caramelo o un bombón sino que está progresando y quiere que se lo reconozcamos.

Para progresar, evolucionar y CRECER el niño necesita:

- Sentirse útil y querido.
- Sentir que progresa.

- Ser tenido más en cuenta.
- Elevar y afianzar su autoestima

Y todo esto lo conseguirá –o no– en función de nuestra manera de actuar como padres y educadores. Si en nuestra forma de comunicarnos e interactuar con nuestro hijo estamos continuamente destacando lo negativo, lo que hace mal, conseguiremos que:

- No se sienta útil, transmitiéndole un sentimiento de incapacidad e impotencia para hacer las cosas bien.
- No sienta que progresa.
- Perciba que no le tenemos en cuenta y, como consecuencia de esto, dejará de actuar y de llevar a cabo algunas tareas.
- Tenga un concepto negativo de sí mismo, una baja autoestima.

¿De qué forma haremos uso del elogio?

Ante todo, hemos de tener en cuenta que el elogio debe ser sincero y merecido. El niño se percata cuando lo elogiamos «por obligación». Además, no podemos elogiarlo por cualquier cosa. Por ejemplo, no podemos decirle: *«Muy bien, me encanta ese dibujo»* cuando ha hecho un simple trazo en un folio.

Veamos en qué situaciones haremos uso del elogio con eficacia:

1. **Debemos hacerle sentir importante.** El niño debe percibir que valoramos sus progresos y además necesita que se lo reconozcamos constantemente. Tenemos que decirle frases como «cada vez lo haces mejor», «estás mejorando

mucho tu comportamiento», «la profesora me ha dicho que cada vez estás más atento en clase, no sabes lo que me alegra».

2. **Tenemos que destacar sus cualidades.** Es decir, tenemos que destacar aquello que hace bien y recordárselo. No hace falta que sean grandes cosas, el secreto está en valorar y reconocerle esas pequeñas cosas del día a día: «qué bien has hecho ese dibujo, me encanta», «has sido muy simpático con el vecino», «eres muy bueno compartiendo con tus amigos, eres muy buen amigo».
3. **Debemos reforzar las conductas positivas.** Es mucho más efectivo elogiar las conductas positivas que sancionar las negativas. Cuando el niño tenga el comportamiento que esperamos de él debemos elogiarlo y reconocérselo: «has recogido tú solo la mesa, ¡qué bien!», «muy bien por ayudar a tu hermana pequeña a subir la escalera, ¡eres muy buen hermano mayor!», «me encanta cuando trabajas en silencio y concentrado».
4. **Alaba sus logros.** Tampoco hace falta que sean logros inmensos, podemos empezar con pequeñas cosas: «Ya te vistes tú solo, ¡enhorabuena!», «te has esforzado mucho este curso, ¡enhorabuena por tu trabajo!».

Hemos de tener en cuenta algo muy importante que señala Marilyn Gootman en su libro *Guía para educar con disciplina y cariño*:

> No todos los elogios son estimulantes. En realidad algunos son contraproducentes e incluso pueden provocar un mal comportamiento en el niño. Si nuestro elogio es poco sincero o manipulador, puede salirnos el tiro por la culata y alejar a nuestros hijos de lo que esperamos de ellos.

Claves para hacer un buen uso del elogio

Estas son algunas claves para que puedas hacer un uso eficaz del elogio:

- Di las cosas con cariño y, sobre todo, con sinceridad. Si no estás convencido de lo que dices, tu hijo lo percibirá.
- Destaca lo positivo aunque te parezca insignificante: recuérdale lo bien que hace algo.
- Pon el énfasis en los hechos, no en el autor de los hechos: Mejor si le decimos «qué bien, que habitación más ordenada has dejado» en lugar de « qué bueno eres, has ordenado tu habitación».
- Evita al máximo las comparaciones (con hermanos, amigos, etc.).
- Valora sus logros.

Sentirse valorado le ayuda a crecer

Un buen ejemplo de esto lo encontré en un artículo del blog de Daniel Coyle (thetalentcode.com), donde mencionaba un estudio que Rob Miller y Bruce E. Brown de Proactive Coaching LLC llevaron a cabo para entender lo que hace «un buen padre». Para ello, durante décadas preguntaron a los atletas en edad universitaria acerca de la manera en que sus padres habían tenido «un impacto positivo o negativo» sobre ellos. Después de varios cientos de entrevistas descubrieron dos cosas muy interesantes:

1. Los niños odian la conversación durante el viaje a casa después de un partido (donde generalmente los padres destacan lo negativo): «¿qué pasó en esa jugada?», «¿por qué fallaste ese tiro?», «tienes que mejorar tu velocidad»...

2. Reconocieron que hay una frase dicha por los padres que les traía felicidad. Una simple frase que les hizo sentir alegres, confiados y valorados: «me encanta verte jugar».

Algo sencillo y poderoso: me encanta verte jugar. ¿No te parece fantástico?

La comunicación con nuestros hijos

Siempre hablo de la importancia del ejemplo en la educación de nuestros hijos. Somos su principal referente y, por tanto, debemos tener mucho cuidado tanto con lo que hacemos como con lo que decimos. Insisto, de manera errónea, por regla general solemos centrarnos más en lo negativo que en lo positivo, es decir, en lo que hacen mal nuestros hijos.

Acabo de leer un interesante libro que lleva por título «Diez cosas poderosas para decirle a tus hijos» de Paul Axtell (te recomiendo su lectura). En el mismo menciona un listado de autor anónimo que ha inspirado el libro. Se trata de las 30 afirmaciones que más escuchan los niños en boca de los adultos:

1. ¡No! (La respuesta más frecuente. Llamativo, ¿no te parece?)
2. ¡No pongas excusas!
3. Déjame decirlo de otro modo.
4. Ahora no tengo tiempo; quizá más tarde.
5. ¿Crees que recojo el dinero de los árboles?
6. Espera a que tengas tus propios hijos y verás.
7. ¿Qué demonios crees que estás haciendo?
8. No comas dulces; la cena está casi lista.
9. Sé bueno con tu hermanita (hermanito) o si no…

10. Limpia tu cuarto.
11. Cuando tenía tu edad…
12. ¿Me estás mintiendo?
13. Come tu cena; hay niños muriéndose de hambre en todo el mundo.
14. ¿No entiendes lo que trato de decirte?
15. ¿No puedes hacer algo bien?
16. ¿Quién te crees que eres?
17. ¿Por qué no maduras?
18. Esto me duele más a mí que a ti.
19. ¿Cuándo aprenderás?
20. ¡Hazlo ahora!
21. ¿No podéis llevaros bien?
22. ¿Por qué no puedes ser como…?
23. ¡Vete a tu cuarto!
24. ¡Haz los deberes!
25. ¡No uses ese tono de voz conmigo!
26. ¡Cállate y escucha!
27. No eres lo suficientemente mayor para entender las cosas.
28. Déjame enseñarte a hacerlo bien.
29. Hago esto por tu propio bien.
30. ¡Baja el volumen de la música!

Como puedes ver, los comentarios negativos suelen determinar las conversaciones de los padres con los hijos. ¿Cuántos de estos comentarios has hecho tú a tus hijos?, ¿podríamos seguir el listado? Esta lista nos debe hacer reflexionar y poner el foco de atención en las palabras que decimos cuando nos dirigimos a nuestros hijos. Son más poderosas de lo que nos pensamos…

No creemos en nosotros mismos hasta que alguien nos revela que, en nuestro interior; existe algo preciado que vale la pena escuchar, que merece nuestra confianza y es sagrado al tacto. Una vez que creemos en nosotros mismos, podemos arriesgarnos a ser curiosos, a maravillarnos, a disfrutar espontáneamente o a experimentar cualquier cosa que revele al espíritu humano.

E. E. Cummings

¿Me podrías decir lo mismo de otra manera? La comunicación que duele

Me gustaría compartir contigo algunas de las expresiones que escuchamos con mayor frecuencia en la comunicación entre padres e hijos. Expresiones de:

ANTICIPACIÓN:

Al educar solemos centrarnos en lo negativo, en lo mal que hacen las cosas nuestros hijos. Por este motivo son frecuentes las afirmaciones que anticipan lo malo que va a ocurrir. Esto es muy destructivo y además puede desembocar en «la profecía autocumplida», que se cumple por el mero hecho de enunciarla.

- «Será mejor que lo dejes ya. De todas formas te saldrá mal».

- «Vas a suspender el examen».
- «Ni lo intentes, no lo vas a conseguir».

AMENAZA:

Son expresiones que usamos para intentar cambiar la conducta del niño.

La mayoría de las veces solo queda en eso, en una amenaza sin ningún tipo de consecuencia.

- «Verás cuando se lo cuente a tu padre/madre…».
- «Como lo vuelvas a hacer verás…».
- «Si voy ahí…».
- «No te voy a querer».

En ocasiones son los hijos los que amenazan o chantajean a los padres:

- «Como no me lo compres verás…».
- «Si no me dejas salir te acordarás de mí…».

ODIO-AVERSIÓN:

También manifestamos expresiones que denotan odio. Hay que ir con muchísimo cuidado con este tipo de expresiones por el impacto emocional que suponen y el daño que pueden llegar a hacer.

- «No te aguanto más».
- «Te odio».
- «No sé qué hacer ya contigo. No quiero ni verte».

GENERALIZAR:

Un gran defecto que tenemos los padres es la tendencia a la generalización. Entre el «nunca» y el «siempre» hay toda una escala de grises.

- «Nunca haces caso a lo que te decimos».
- «Siempre estás mintiendo».

El niño también utiliza este tipo de expresiones:

- «No me entendéis».
- «Siempre me estáis regañando».
- «A mis amigos sus padres no les castigan».

CULPABILIDAD:

Son expresiones que les decimos para que se sientan culpables, una forma de reprocharles cosas.

- «¿Pero qué hemos hecho mal contigo?».
- «Con todo lo que hemos hecho por ti… Así nos lo pagas».
- «Tienes la culpa de todo».

COMPARACIÓN:

Otras expresiones que usamos para comparar a nuestro hijo con otro (a veces con su propio hermano/a con lo que esto conlleva).

- «Todos tus amigos han aprobado y tú no».
- «Mira tu hermano. Él sí que es responsable».
- «A tu edad yo ya estaba trabajando».

No me gustaría ofrecerte solamente ejemplos de expresiones negativas. También mostramos expresiones de afecto, de cariño. Estas son las que tenemos que potenciar:

- «Te quiero».
- «Cuenta con nosotros siempre».
- «Muchas gracias, hijo».
- «¿En qué te puedo ayudar?».

Es muy importante que no nos centremos únicamente en lo negativo. Debemos buscar y encontrar lo que es valioso en nuestros hijos. Pongamos el foco en sus cualidades y méritos, que seguro que los tienen y son muchos. Debemos reforzar y potenciar sus cualidades. ¿De qué forma? A través del poder del lenguaje: de aquello que les decimos. Por ello es esencial mejorar nuestra comunicación para educar mejor a nuestros hijos. Esto les permitirá crecer y desarrollar una personalidad equilibrada. Debemos cuidar al máximo nuestro lenguaje.

☑ **Actividad.** Te propongo un sencillo ejercicio: durante los próximos 21 días (como sabes es el tiempo que tardamos en asimilar un hábito) concéntrate en evitar las expresiones negativas-destructivas y concéntrate en mejorar esta comunicación con tus hijos a través de un lenguaje positivo, optimista y sincero. Comprobarás que se produce un cambio incluso en el ambiente familiar. Espero que me cuentes tu experiencia.

Importancia de la comunicación no verbal

A la hora de comunicarnos con nuestros hijos es muy importante la comunicación no verbal. Debemos mantener en todo momento una actitud de escucha, asentir, etc., pero además es necesario que:

- No estemos haciendo otra tarea mientras hablamos con él: prestarle la máxima atención.
- Mirarle a la cara y transmitirle que él –y lo que nos quiere contar– es lo más importante en ese momento.
- Tengamos cuidado con nuestros gestos.
- Mantengamos una distancia prudencial para que no se sienta intimidado.
- Mostrar empatía sobre aquello que nos está contando.

¿De qué podemos hablar?

Podemos abordar múltiples temas para hablar con nuestros hijos. Veamos algunos ejemplos:

- Temas que son de su interés. Aunque a ti no te interesen lo más mínimo debes mostrar atención e interés por lo que te cuenta tu hijo. El niño debe percibir que nos gusta conversar con él.
- Hablar de nuestros sentimientos. Expresar nuestros sentimientos y que el niño pueda compartir los suyos con nosotros.
- Temas de actualidad. Podemos abordar temas cotidianos, de actualidad y aprovecharlos para la transmisión de valores. Temas que nos ayuden a reflexionar de manera conjunta con nuestros hijos. Explícaselos de manera que los pueda entender.
- Temas «tabú». Hay temas que no podemos dejar de lado y tenemos que abordar con nuestros hijos en algún momento como, por ejemplo el sexo, las drogas, etc. Siempre adaptándolos a su momento evolutivo para que lo pueda entender.

Enemigos de la comunicación

Del mismo modo que cuando hablamos de la gestión del tiempo encontramos «ladrones del tiempo» en nuestra actividad diaria, en la comunicación ocurre exactamente lo mismo: tenemos unos enemigos que hay que combatir si queremos llevar a cabo una comunicación efectiva con nuestros hijos. Estos son algunos:

- Las prisas y la falta de tiempo. Siempre vamos acelerados repitiendo frases como «Venga vamos, que no llegamos», «Vamos rápido que ahora te tocan extraescolares», etc. y no encontramos tiempo para hablar tranquilamente con nuestros hijos. Debemos buscar ese tiempo y destinar una parte del mismo a hablar y dialogar con los niños. Es triste, pero hay padres que no conocen a sus hijos: ni sus gustos, ni sus preferencias, ni sus sentimientos, etc. Aprovechemos el tiempo del fin de semana para poder hacer esto con más calma.
- La tecnología no es mala pero un mal uso de ella nos puede llevar a la incomunicación más absoluta. Encontramos hogares donde la comunicación se da únicamente a golpe de clic y emoticonos. Necesitamos ir más allá, apagar las pantallas (televisión, móviles, tablets...) y cuidar la comunicación cara a cara con nuestros hijos y pareja. Me pregunto si es necesario realizar todas las comidas con la televisión encendida.

Qué hacer cuando se pelean

Los enfrentamientos entre hermanos son normales y naturales. Es difícil encontrar dos hermanos que no se peleen. Debemos vivirlo como una etapa más de su crecimiento. Suelen pelear por celos, por llamar la atención de los padres, por los juguetes, por las pertenecías, etc. Hay hermanos a los que les sobran motivos para pelearse. Peleas y discusiones que se producen en muchas ocasiones porque ambos quieren un objeto al mismo tiempo o no se ponen de acuerdo sobre qué dibujos ver en la televisión, etc.

Personalmente soy partidario de dejar que ellos intenten resolver sus conflictos por sí mismos (haciendo uso de sus recursos personales), que negocien. Es otra forma de comunicarse, de ir aprendiendo a gestionar conflictos, aprender a cooperar, aprender a tolerar, etc. Los conflictos en sí no son malos, al contrario son una oportunidad para aprender y madurar.

Recomendación:

- No juzgues.
- No protejas al más pequeño.
- No eches la culpa al mayor.

¿Qué podemos hacer?

Es importante aclarar a nuestros hijos que no admitimos peleas en casa. Para poder evitarlas es necesario que realicemos un doble trabajo de observación: por un lado observamos a nuestros hijos pero por el otro también nos observamos a nosotros mismos. Tenemos que actuar como «observadores neutrales» decidiendo en qué momento intervenir (puede ser cuando empiecen a gritar, a insultarse o pegarse). Una vez rebajada la tensión, podemos iniciar una técnica de resolución de problemas para abordar conflictos.[12] Los pasos básicos son los siguientes:

1. Definir el problema:
   a) Tranquilizarse en el caso de que todo el mundo estuviera demasiado alterado para poder hablar de forma racional.

---

12. *Guía para educar con disciplina y cariño*, Marilyn Gootman, Ed. MEDICI.

   b) Cada persona escucha a la otra intentando explicar su versión de lo ocurrido (incluyendo cómo se siente).

   c) Intentar resolver juntos el problema.

2. Pensar soluciones en común, tantas como se pueda.
3. Evaluar todas las soluciones y discutir cuáles son aceptables para ambas partes. Si no hay soluciones aceptables volver al punto 2 y pensar otras.
4. Elegir una solución en que ambas partes coincidan.
5. Probar la solución.
6. Si funciona mantenerla y si no, pensar en otra.

Al principio tendremos que conducir paso a paso a nuestros hijos en este proceso, pero con el tiempo serán capaces de seguir los pasos por su cuenta y resolver así sus disputas de la mejor manera posible.

Recuerda. Los padres somos el modelo de referencia de nuestros hijos. No les podemos decir que no se peleen mientras están viendo a sus padres discutir de manera habitual. Somos su espejo y actúan por imitación.

Los padres pueden favorecer ese aprendizaje: los hermanos tienen que aprender a estar juntos y a no pelearse. Les quedan muchos años de convivencia, así que cuanto antes aprendan, mejor.

SILVIA ÁLAVA

Educar sin gritar

Muchos padres son conscientes de que deberían dejar de gritar a sus hijos, lo que ocurre es que se dejan llevar y se sorprenden a sí mismos haciendo uso del grito como último recurso. Tenemos la sensación de que si no gritamos a nuestros hijos estos no nos van a hacer caso. En un primer momento puede parecer que el grito es efectivo porque llama la atención del niño, pero a la larga es totalmente contraproducente. Es necesario educar sin gritos ya que actuando de este modo aportaremos serenidad, confianza y seguridad, pero sobre todo estableceremos una comunicación positiva con nuestros hijos.

Como muy bien señala Anne Bacus:

> La ira es un mal ejemplo para el niño. Si te dejas llevar por tus emociones de manera tan ruidosa, ¿cómo le pedirás luego que controle las suyas cuando se tire al suelo en plena calle porque quiere subir al tiovivo?

Claves para educar sin gritar

Para educar sin gritos precisamos:

1. Autocontrol. Los padres somos los adultos y aunque vayamos sobrecargados de trabajo, tareas, estrés... no podemos descargar esa tensión con nuestros hijos. Debemos mantener la calma. Utilicemos un tono de voz moderado pero firme. Con el grito estamos demostrando a nuestros hijos que no somos capaces de gestionar nuestras emociones.
2. Buscar alternativas. Si en esa situación sigues desbordado es recomendable buscar otras alternativas al problema al que te enfrentas. Por ejemplo, retirarnos de la escena o, si es posible, que se encargue nuestra pareja en ese momento.

3. Dialogar. Es muy importante dialogar con calma y serenidad buscando la comprensión de lo que está sucediendo en ese momento: explicando, preguntando, etc.
4. Pedir perdón. Si no actuamos con calma y serenidad acabamos perdiendo totalmente los papeles y solucionándolo todo a gritos. Lo mejor es que cuando nos calmemos pidamos perdón por nuestra manera de proceder. Insisto, somos un ejemplo para nuestros hijos. Tus hijos lo agradecerán, se sentirán queridos y escuchados. Además les estarás mostrando una manera de resolver los conflictos.

Los gritos generan un círculo vicioso:
más gritos y un mayor malestar emocional.

Recuerda. Los gritos no son efectivos para nada. Lo único que conseguimos es que, si se acostumbra a oírnos gritar, cada vez tengamos que hacerlo más fuerte para que aquello que decimos les llame la atención. Gritar «entrena» a nuestros hijos a no escuchar hasta que se les levanta la voz y eso no es lo que queremos como padres.

Los gritos nos alejan de nuestros hijos.

Volumen en casa

Es recomendable revisar el ambiente «sonoro» que estamos creando a base de tantos gritos y tensiones. Muchas veces no nos damos cuenta y acabamos acostumbrándonos a un nivel de ruido muy superior al aconsejable. Debemos revisar:

- El volumen de la televisión.
- Si gritamos para pedirlo todo («date prisa», «ven a cenar», etc.).

- Si gritamos en cualquier conversación normal.

> **Recuerda.** Reserva los gritos para situaciones de verdadera emergencia (el niño se dirige a un peligro inminente). Ahí resulta imprescindible el grito para alertarle del peligro.

Educar en equipo: unidad de criterio

Para educar a nuestros hijos es importante que exista una unidad de criterio entre los padres. Como siempre digo educar es un trabajo de equipo y, aunque en el equipo existan diferencias, debemos intentar educar siguiendo la misma línea. Es importante que el niño reciba el mismo mensaje de su padre y de su madre, y que estos mensajes no sean contradictorios. Por este motivo y para llegar a establecer esta «unidad» es fundamental la comunicación y el diálogo continuado sobre las dificultades, criterios generales y estrategias a adoptar en la educación de los hijos.

Como señalan Pilar Guembe y Carlos Goñi:

> No jugar al papi bueno y mami mala (o al papi malo y la mami buena), sino ejercer de padres que están de acuerdo entre sí y que se complementan.

> **Ejemplo.** Marta le pide permiso a su madre para salir y la madre le contesta:
>
> —Es algo que tenemos que hablar tu padre y yo.
> —¿Pero tú me dejas? —insiste la niña.
> —Es una decisión que debemos tomar tu padre y yo: aquí decidimos los dos.

Irene Orce señala que hay muchos entrenamientos distintos para conseguirlo pero en esencia se puede conseguir a través del conocido «Entrenamiento de las cuatro C»:

- Cabeza. Necesitamos dedicar tiempo a la comunicación.
- Corazón. Verbalizar de vez en cuando todo lo que significa nuestro compañero para nosotros, recordarnos y recordarle sus cualidades.
- Cama. Implica desarrollar la ternura, el cariño, la mimoterapia. En este terreno entran los besos.
- Compromiso. Tiene que ver con reinventarnos, yendo más allá de nuestra zona de comodidad cuando sea necesario para volver a reencontrarnos con nuestro compañero.

☑ **Actividad**. Esta actividad tiene como objetivo principal favorecer la comunicación entre los miembros de la pareja. Por este motivo os propongo que dediquéis unos días a dialogar y reflexionar entre vosotros sobre las siguientes cuestiones:

- ¿En qué aspectos de la educación de vuestro hijo creéis que no hay una unidad de criterio entre la pareja? ¿de qué forma lo podríais cambiar?
- ¿Crees que es educativo que los niños vean que el padre desautoriza a la madre o viceversa?
- ¿Podéis educar bien sin esta unidad de criterio?
- ¿En qué situaciones se manifiesta con mayor claridad que no existe unidad de criterio?

#Leído en internet

LA ÚNICA FORMA DE EDUCAR
HIJOS EMOCIONALMENTE SANOS
ES EMPEZAR POR UNO MISMO

«CREO QUE LA MEJOR HERENCIA QUE LE
PUEDE DEJAR UN PADRE A UN HIJO SON
BUENOS RECUERDOS»

Eloy Moreno (de la novela *El Regalo*).

#4 citas en las que inspirarte

1. *Nadie ama a la persona que teme.*

   Aristóteles

2. *Solemos educar en función de nuestras emociones y no de la conveniencia para el menor.*

   Ferran Salmurri

3. *Si estás juzgando a los demás, no te queda tiempo para amarlos.*

   Madre Teresa de Calcuta

4. *Quien vive temeroso, nunca será libre.*

   Horacio

El viaje continúa...

Llegamos al final del libro pero no termina aquí. ¿Qué te parece todo lo que te he ido contando a lo largo del mismo? Espero que hayas podido encontrar respuesta a muchas de tus dudas respecto a la educación de tus hijos, y puedas empezar a considerarte un padre con talento. Como puedes comprobar, no solo has aprendido sobre ti mismo sino sobre tu pareja, tu hijo... Esto te ayudará a afrontar la educación de tus hijos en las mejores condiciones. Te animo a que compartas esta información con tus amigos y conocidos y pueda llegar a más y más padres que, como tú hasta ahora, andan desorientados y perdidos.

Confío en que en este aprendizaje hayas ganado en confianza en ti mismo eliminando esos miedos e inseguridades que te asaltaban con frecuencia. Quiero que vivas y disfrutes al máximo este proceso de crianza de tus hijos. Como comenté en el primer libro de la colección no se trata de «sobrevivir» a la crianza de tus hijos sino de DISFRUTARLA y vivirla como una experiencia única.

Como puedes comprobar, muchas de las ideas que he expuesto no son nuevas y no son mías, sino que las he aprendido de personas que han investigado mucho más que yo. He intentado ofrecerte una gran cantidad de ideas y herramientas que aplico en el día a día con mis hijos. Muchas de estas ideas y experiencia me las ha transmitido mi mujer, por lo que puedo decir que la mitad (o más) del libro también es obra suya.

Puedes volver a estas páginas en el momento que quieras y seguir aprendiendo sobre aquellos temas concretos en los que sigues encontrando dificultades. Como ya has aprendido, en caso de duda confía en ti mismo y en que haces lo mejor para tu hijo.

Un último consejo: nada de lo aprendido aquí te servirá si no lo pones en práctica. Como señala Jack Canfield, «tampoco sirve leer un libro sobre una dieta para perder peso si no se reduce el consumo de calorías y se hace más ejercicio», por tanto, ahora viene la parte más importante: aplica las pautas y estrategias aprendidas en el libro y adáptalas a tu caso concreto, a tus circunstancias personales, etc.

Pero esto el libro no termina aquí. Te invito a seguir leyendo el tercer volumen de la colección Escuela de Padres en la que abordaremos la educación de tu hijo en la compleja y temida etapa de la adolescencia. En él encontrarás las claves para acompañar y educar mejor a tu hijo en esta nueva etapa, en la que deja de ser un niño pero tampoco es un adulto.

Bibliografía

Álava Reyes, M. J. (2002), *El NO también ayuda a crecer*, Madrid: La Esfera de los Libros.

Álava Sordo, S. (2014), *Queremos hijos felices*, Boadilla: J de J Editores.

Álava Sordo, S. (2015), *Queremos que crezcan felices*, Boadilla: J de J Editores.

Álvarez de Mon, S. (2010), *Con ganas, ganas*, Barcelona: Plataforma.

Bacus, A. (2014), *100 Ideas para que tus hijos te obedezcan*, Barcelona: Oniro.

Ballenato, G. (2007), *Educar sin gritar*, Madrid: La Esfera de los Libros.

Ben-Shahar, T. (2014), *Elige la vida que quieres*, Barcelona: Alienta.

Bilbao, Á. (2015), *El cerebro del niño explicado a los padres*, Barcelona: Plataforma.

Castells, P. (2011), *Tenemos que educar*, Barcelona: Atalaya.

Cervantes, P. y Tauste, O. (2012), *Tranki pap@s: Cómo evitar que tus hijos corran riesgos en internet*, Barcelona: Oniro.

Cervera, L. (2009), *Lo que hacen tus hijos en internet*, Barcelona: Integral.

Cury, A. (2007), *Padres brillantes, maestros fascinantes*, Barcelona: Zenith.

Einon, D. (2000), *Comprender a su hijo. Desde el primer llanto a la adolescencia*, Barcelona: Medici.

García Agustín, L. (2004), *Educar a los más pequeños*, Madrid: Temas de Hoy.

Giménez, M. (2007), *Los niños vienen sin manual de instrucciones*, Barcelona: Punto de Lectura.

Goleman, D. (1996), *Inteligencia emocional*, Barcelona: Kairós.

González, O. (2015), *365 propuestas para educar*, Barcelona: Amat.

González, O. (2014), *Familia y Escuela. Escuela y Familia*, Bilbao: Desclée.
Gootman, M. (2002), *Guía para educar con disciplina y cariño*, Barcelona: Medici.
Guembe, P. y Goñi, C. (2013), *Educar sin castigar*, Bilbao: Desclée.
Guembe, P. y Goñi, C. (2014), *Una familia feliz: guía práctica para padres*, Córdoba: Ediciones Toromítico.
Honoré, C. (2008), *Bajo presión*, Barcelona: RBA.
Luri, G. (2014), *Bien educados*, Barcelona: Ariel.
Martiñá, R. (2008), *Escuela y familia: una alianza necesaria*, Buenos Aires: Troquel.
Martiñá, R. (2008), *La comunicación con los padres: propuestas para su construcción*, Buenos Aires: Troquel.
Montero, L. (2009), *Mi hijo es un vago*, Madrid: La Esfera de los Libros.
Orce, I. (2014), *¡Esta casa no es un hotel!: manual de educación emocional para padres de adolescentes*, Barcelona: Grijalbo.
Pennac, D. (2015), *Como una novela*, Barcelona: Anagrama.
Salmurri, F. (2015), *Razón y emoción*, Barcelona: RBA.
Tierno, B. y Giménez, M. (2004), *La educación y la enseñanza infantil de 3 a 6 años*, Madrid: Aguilar.
Urra, J. (2006), *El arte de educar*, Madrid: La Esfera de los Libros.
Urra, J. (2013), *Respuestas prácticas para padres agobiados*, Barcelona: Espasa.
Urra, J. (2009), *Educar con sentido común*, Madrid: Aguilar,
Urra, J. (2004), *Escuela práctica para padres*, Madrid: La Esfera de los Libros.
Urra, J. (2011), *Mi hijo y las nuevas tecnologías*, Madrid: Pirámide.
Vallet, M. (2010), *Cómo educar a mi hijo durante su niñez*, Hospitalet de Llobregat: Wolters Kluwer Educación.

Recursos adicionales

Apreciado lector, muchas gracias por compartir tu valioso tiempo conmigo, ha sido un placer acompañarte durante tu lectura. Si quieres podemos seguir «conectados»:

Te invito a seguirme a través de mis redes sociales:

- **Twitter:** @OscarG_1978
- **Facebook:** facebook.com/oscar.g1978

Si estás interesado en ampliar el contenido del libro, visita la web de la colección ESCUELA DE PADRES:

www.coleccionescueladepadres.es

Si estás interesado en mis programas de formación para familias, escuelas de padres, talleres, seminarios, etc. visita la web **www.escueladepadrescontalento.es.** Son talleres prácticos (presenciales y *online*) diseñados para ayudar a las familias a educar con talento y con mucho sentido común. Puedes seguir estos programas a través de las redes sociales:

- **Twitter:** @EPTalento
- **Facebook:** facebook.com/EscuelaDePadresConTalento

Contacta conmigo en:
oscargonzalez@escueladepadrescontalento.es

Si quieres más recursos (webs y blogs recomendados con temáticas e información relacionada con el contenido del libro) visita el apartado *Recursos* de la web:

www.colecccionescueladepadres.es

Escuela de Padres con talento

La Escuela de Padres con talento es un proyecto pedagógico de Óscar González que pretende servir de **ayuda, orientación, aprendizaje y colaboración** a las madres y los padres durante el proceso educativo de sus hijos.

Todos los padres quieren educar bien a sus hijos pero muchos encuentran hoy grandes dificultades para lograr esa aspiración. Estamos convencidos de que **no existen recetas mágicas para educar a nuestros hijos,** no poseemos la «alquimia educativa» que nos resuelva todos los problemas pero sí que ofrecemos **pautas, herramientas y principios educativos** para que puedan llegar de un modo práctico al fondo de los problemas de cada hijo dando respuesta a sus inquietudes, dudas y temores.

Nuestra intención es la de prepararlos para que aprendan y encuentren su propio estilo y forma de educar a sus hijos. Queremos estar **junto a ellos** para orientarlos, ayudarlos, acompañarlos, escucharlos, asesorarlos y ofrecerles lo que buscan: **soluciones**.

Además de los mencionados, uno de nuestros objetivos prioritarios es «aprender todos de todos». Este proyecto es **una experiencia enriquecedora para todos los participantes** donde la visión y experiencia de otros padres nos ayudarán a completar y enriquecer la propia.

Es necesario un cambio en el concepto tradicional de Escuelas de Madres y Padres, un modelo obsoleto. Nuestro proyecto establece **un nuevo modelo de Escuela de Padres y Madres** práctico y dinámico que ofrece resultados reales. Una de las quejas frecuentes de los centros educativos es que los padres y las madres no participan en este tipo de iniciativas. Ofrecemos un proyecto avalado por una altísima participación e implicación por parte de las familias.

Para más información sobre la Escuela de Padres con Talento accede a la web **www.escueladepadrescontalento.es**

Contacta con nosotros en **info@escueladepadrescontalento.es**

OTROS TÍTULOS DE LA COLECCIÓN

Escuela de padres de niños de 0 a 6 años

Óscar González

ISBN: 9788497358521

Págs: **208**

¿Es bueno gritar a nuestros hijos? ¿Cuándo hay que reconocer nuestros errores como padres? ¿Cuáles son las palabras que nunca hay que decir y cuáles debemos repetir? ¿De qué manera podemos implicarnos con la escuela en la educación de nuestros hijos? ¿Cuáles son los imprevistos con los que nos podemos encontrar en esta etapa? ¿Cuáles son los juguetes recomendados? ¿Cómo podemos darles ejemplo como padres?

Escuela de padres de adolescentes

Óscar González

ISBN: 9788497358569

Págs: **160**

¿Cómo debemos comunicarnos con un adolescente? ¿Qué piensan nuestros hijos de nosotros durante esta etapa? ¿Debemos ser padres o intentar ser amigos de nuestros hijos? ¿Cuánto debemos confiar y desconfiar de lo que hacen? ¿Cuáles son las claves de su educación? ¿Cómo amoldamos las normas a las nuevas realidades de nuestros hijos? ¿Cuáles son los riesgos de esta edad? ¿Cómo entender la importancia que le dan a la imagen? ¿De qué manera afectan o ayudan las nuevas tecnologías a su comportamiento y educación? ¿Cómo podemos dialogar con otros padres? ¿Y con los profesores? ¿Cuál es el éxito y el fracaso de la escuela del siglo xxi? ¿Cómo ayudarles a decidir qué quieren estudiar en el futuro?